# わたしの心のレンズ

## 現場の記憶を紡ぐ

大石芳野
Oishi Yoshino



インターナショナル新書　101

写真　大石芳野

# まえがき

長年にわたって私はドキュメンタリー写真を撮ってきた。人様に会って話を聞いてカメラで記録することがその手法であり業《なりわい》である。ところが今の私にとって致命的とも思える事態に追い込まれている。新型コロナウイルス（COVID－19）禍では飛沫が感染源になるとの専門家たちの説明で、対面する撮影はなかなか厳しい状態に陥ってしまった。自然や公園、街角などの撮影は可能だからこの際、私のスタイルを切り替えようかと思わなくもなかったが、その世界も広くて深いから簡単なことではない。"To be, or not to be"というハムレットではないけれど、この状況に甘んじて自ら周りの変化に合わせて生きるのか、いえ、自分自身を貫いて自分の信念に従って生きるのか……。まさにハムレットの苦悩をわが身に衝きつけるといった心境だ。舞台で演ずる俳優や音楽家たちと同様に私の講演会なども次々にキャンセルになり、予定は「延期」から「中止」へと移行し、まるで「失業状態」になった。こうした事態に遭うのは初体験だからと失笑しつつも、実際は辛い。ピンチをチャンスに変えるしかないのだからと、思考停止ではなく思案するために立ち止まる。もしかして、私にとって今がそのときなのかもしれない。「Not stop thinking, but stop to think」と私の友人が口癖のように呟く言葉のように。

半世紀近く、内外の取材活動でかなり身体は疲れてきていたので休憩するにはグッド・タイミングだとも思った。そこで本棚から子どもの頃や若い頃に読んだ本を引っ張り出しては懐かしく読みふけった。あの頃の読後感とはズレもあり、本当に読んでいたのだろうかと自分を疑うこともままあるほどだった。それでもどの本も懐かしく、独《ひと》り軽いメランコリックな気分になり、一冊読むと、関連した本を次々と読みたくなるのが私の性癖《くせ》で、書棚を捜索し、古書を調べ……充実した「沢山の時間」を楽しんだ。青春時代が再びやって来たような気分に浸った。さらに、テレビで再放送される映画やドキュメンタリー番組、海外のニュースもかなり見る時間が持てた。

コロナ禍に苦しんでいる人たちが多いときに不謹慎だと思いつつも、わが人生を反芻するなども含めてゆったりとしたわがままな日々を過ごした。「思春期の闇」では下手ながら思うに任せてたくさんの詩を書いた。今また書かざるを得ない心境になったが、今度はあの若い頃とは異なるもやもやした自分の気持ちや過ぎし日々を振り返るには詩ではなく文章で表現してみようと思った。夜明けに向かって歩いて行きたいがために。

思春期の頃、誰もが陥る人生の暗闇。なぜ自分はこの世に生まれたのか、何のために生きなければならないのかといった思いにとらわれた人は多いだろうが、私もこの闇の深みにはまり込んだ。病人かと思い惑う歳月に見舞われ、家族もクラスメイトも教師も社会も他人《ひと》はみな私から遠い所に行ってしまったような気持ちになって沈んでいた。孤独、孤立感、不安……独りひたすら高く分厚い壁の前に佇んで見えない魔物と格闘しているような状態が数年も続いた。あの頃のことを思うと、ある意味で懐かしくもある一方、胸苦しさを覚えてしまう。

そして二〇二〇年の初頭から、青春の悩み深かったあの当時とは違った心理状態に追い込まれている。それでいてどこか似ている現在の社会状況に戸惑いを感じるようになった。社会を覆い始めた恐怖に近い空気感が徐々に強まり、新型コロナウイルスによるパンデミック社会に一変してしまった。やがて状況はどんどん悪化していき、その流れはじわじわと私にも押し寄せてきた。そして病気ではないのに、まるで病人のような気分に陥った。これはいったいなんなのだろうか……。「コロナ」という目に見えない恐怖や不安が引き起こす心身の不調に違いない。

あの思春期の頃、生とは何か？　死とは？　なぜ生きようとしているのか？　夜道の路地は人通りも少なくて怖いし、また、突進してくる車や電車を避けようと必死になるなどと、生にしがみつく私の内なる意識がたまらなく嫌だった。いったいこの感情はどこから湧いてくるのか……。自己嫌悪の日々だった。生きる本能なのだろうが、それにしても無意識に私を支配している生の意識に取り憑《つ》かれている自分とは何者なのか……。若い私は深くて暗い底の見えない泥沼のなかにはまり込んだように身動きが取れなくなり、体調も悪化していった。

　そんなあの頃を思い出しながら先の見えない今の気分の原因は何なのか。「コロナ」のせいではないかと、まるで冗談のような思いに至った。ウイルスに感染はしていなくても「コロナに感染する」を否定し切れない不安定な精神のありようかもしれない。気を付けながらも、必要以上には人の群れを避けず、友人と懇談もし、さして神経質にはなっていないとは思う。

　若い頃よりも経験も体験も積み重ねてきたのだから、暗闇に溺れることはもうあり得ないと自分をかばってはみる。これがあの時期の「人間の実在」をめぐる思索だったのだろうと後で悟り、人生の通過儀礼だったのかもしれないと今では思っている。けれど、それにもかかわらず最近のこの不安感は何なのか？　真の意味で自律的に生き、自己決定し、責任をもって生きてきたと自負しているのに。

　若い頃の悩みのひとつが「無意識の自己」についてだった。写真の道に進んだ理由にその追求もあったのか……と後付けのように考えもするが、アート写真ではなく私はドキュメンタリ

―写真の分野だから無意識の意識についてはは模索しにくい。けれど今になってみると、長年、現場に足を運び戦禍や大災害に見舞われた人びとと直接に向き合って話を聞き、写真を撮ってきたことで、多くを教えられ考えさせられてきた。現地の人たちが直面する喜怒哀楽に触れる度にその真なる姿は何なのだろうか、そしてそれが私の写真で伝わるだろうか……といつも気になった。写真と言っても幅が広いけれど私はカメラを心の眼として、人びとの内なる根っこに潜む心情を表現したいという考えが次第に深まって今に至っている。時に、写真には意識した姿ばかりか無意識の私までもが表れる。取材相手と私の共同作業であり相互作用の結果として写真が生まれることが多いからかもしれない。

取材相手の無意識に漂う心の内側を何とか一枚の写真に収めたかった。とりわけ戦禍に苦しむ人たちの撮影には思春期に悩んだ私自身の無意識というものを相手の心のなかに見つけようとしていたから、若かりし頃の悩み（生と死という人間存在の根源的な追求）も、少しは写真表現に生かされて役立ったかもしれないと時には自分を慰めてもみる。現場で向かい合っているその人の心の奥に潜む戦争をどう写真に込めたらよいのか。その人たちの語る言葉のなかに沈殿する苦悩を、時には安堵や喜びを写真に写し取りたいと願い、当人の無意識の意識にこだわりながら何とか引き出そうとしてきた。

同時に、その営みは私の心の奥も自らの手によって引き出すことにもなる。写真は残酷なほど自分のまやかしまでもが写り込んで心を投影してしまうため、自分の撮った写真にどれほど自分を情けなく思ったことか。

出会った人たち一人ひとりの表情やその地の状況などをあれこれ思い描いては、今や夢想の対話を楽しんでいる。出会ってから何年も経つのに、あの当時のままのあの人たちだ。どうしているかな……元気でいるだろうか。世界中がパンデミック状態だから残念ながらその人たちに会いに出かけることは制限される。

半面、自分を反芻しながら青春時代に否応なく引き戻される心境が続くなかで、記憶に色濃く残る人たちと書棚の本とが細いひもで繋がっていった。子どもの頃や若い頃に巡り合った心に触れる本の主人公たちに、私が出会った人たちが思いがけずに、結びついた。あのまま、現場から現場を走り回っていたら、今感じているこの私の考えを整理することはできなかっただろうし、こうして文章にすることにも思い至らなかったかもしれない。「失業したように」内外の取材活動を厳しく制限されたコロナ禍の状況によって、久々に自分との奥深い対話が可能になった。

新型コロナで苦しんでいる人たちはイコール自分であることも確かだ。いくらワクチンや特効薬が開発されて流通しても、日本ばかりか世界中の大勢のすでに失われた命は戻ってこない。

遺族は対面も許されないうえ、身体を清めることも撫でることも禁止されて故人と別れなければならなかった。どれほど辛かったことか。もし、自分だったら泣いても泣ききれないだろう。そうした理不尽な永遠の別れを新型コロナ、あるいは社会は強いた。ここに「コロナ禍」の不可解さや不条理が潜んでいる。

ＣＯＶＩＤ－19とその変異株自体なのか、あるいはそれを取り巻く社会や経済の状況や思惑なのか、さまざまな憶測がうごめいて、とうてい私の理解を超えてしまう。もしかしたら、何らかの勢力が混乱を狙って仕組んだとも言われている……それすらもわからない。苦境に置かれたその人たちを忌避《きひ》し差別する人が後を絶たない。自分もいつ襲われるか（感染するか）他《ひ》人事《とごと》ではないのに、非常識だ。「コロナ」自体よりもそれによる人びとの態度や心理の方が恐いと言われる所以だろう。戦いの相手は「飛沫が原因になるウイルス」なのである。感染した人はだれも罹りたくはなかった被害者でもあるのに、なんと浅はかなのだろう。こうした偏見はいったい、何から来るのか。

ある日、マスクを忘れたのか？　代わりに厚手のマフラーで口元を覆ってうつむいて静かに立っていた女性が狭いエレベーターに乗ってきた。すると、居合わせた男性が彼のマスクの隙間から飛沫が飛び散っているかのような大声で「この事態にマスクをしないとは何事か！」と罵声を彼女に浴びせながら、殴り掛からんばかりだった。彼はまるでマスクの呪文にかかっているような感じさえした。全身から恐怖が滲み出ている。彼のその姿を目にしながら、差別はこうした偏狭な歪んだ気持ちや無知、我欲などから始まるのではないかと思った。

今や、ウイルスはさまざまに変異する途にある。この先、コロナウイルスはどんな変異を遂げながら、この社会にいかなる禍を振り撒いていくのか。人類が誕生するずっと以前、おそらく生き物が地球に現れた三八億年前よりももっと古くから、ウイルスは存在していたのだろう。人間ばかりでなく生き物のほとんどがウイルスと闘いながら、あるいはウイルスに助けられ保護されたりもしながら、共存し今日を迎えている。私たち人間の祖先もさまざまな闘いを勝ち得た者だけが〝人類〟として生き残り、現在に至っているのかもしれない。それだけに「コロナ禍」をきっかけに人間としての尊厳を傷つけることがより多くなった今日、「コロナ禍」は人間のこれまでの歩み、ひいては「近代化とは?」という問いをも露骨に衝きつけているようにも思える。

私たちが夜明けに向かって歩き続けられるのは犠牲者を心底から悼みつつ沈着な判断と真摯な思いの深さを抱き続けてこそ、だ。他人を思いやる心、他人の痛みを分かち合う優しさ。そうした心を培う想像力……。そしてささやかでもひとのために自分にできることを実行するといった行動力があってこそ、その先に光が見えるのだろう。昔も今も私たちはみな、森羅万象のなかで生きているのだという自覚が一人ひとりに問われているのではないだろうか。

コソボ

11　　まえがき

# 目次

# 第一章　歪んだ日常

## コロナ禍に思う

ほぼ半世紀にわたって私は国内外を走り回ってきた。訪れた国や地域は国内も含めて、一〇〇か所以上にはなろう。数は問題ではない。大事なのは同じ個所や同じ人を何度も訪ねてその人を自分がより深く理解し、結果としてその人の真に近い姿が写真に写し出され、そのことを自分で納得することだと思っている。そう思いながら幾つかの計画を練り、二〇二〇年の年明け早々には相手方ともコンタクトを取っていた。ところが「中国の武漢」が発生源という情報が流れ（今もって真偽のほどはわからない）、予想もしていなかった新型コロナウイルス感染症が流行り始め、春節の人の流れによってそれは瞬く間に拡散していったらしい。その直後からヨーロッパの何か所もの都市がロックダウンされた。それらの映像を見ながらこれはまるで戦争だ……敵に占領されて誰もいなくなったようだと緊張した。戦争の現場を撮ってきた私は「既視感」を強く持った。

その感覚は二〇一一年に福島の原発水素爆発直後に行った二〇㎞圏内や高濃度の汚染地帯で感じた光景ともにわかに重なった。住民は避難して誰もいない。シーンとした張り詰めた空気感が漂い、「ここは戦場だ」という実感のような妄想が湧き、私は敵に囲まれている感覚に陥った。放射能という敵であることは確かだったけれど、あの感覚は戦禍の記憶のなかで何度も体験していたものによく似ていた。それが今回のウイルスに覆われたヨーロッパの都市にも重なった。

実際、世界では新型コロナウイルスで約五億人がこれに感染し、約六〇〇万人が亡くなった(二〇二二年四月現在)。増大する一方の人数に驚き、怯えて、自分は大丈夫だとは思えず、取材相手からも「不安だから会いたくない」などと拒否され続けた。それはそうだろう……と納得しつつも落ち着かない。仕事の予定も次々にキャンセルになるこの流れは到底承服できないが、長年の仕事で疲れ果てた自分の心身の休息タイムだと無理やり思うようにした。

そして、たとえば、若い頃に読んだ本を棚から引っ張り出して読み返したりしながら日を過ごしはじめた。たしかに、これは気分を変えて冷静になることに成功した。今の事態を冷静に受け止め、スーザン・ソンタグの言う「良心のありか」に加えて、「真実のありか」を追求するのがドキュメンタリー写真家としての仕事でもあるかもしれない。そう独り言を言いながら読み始めた本は、すでに内容を忘れかけているものも少なくなかったが、若い頃には感じなかった側面を読み取ることができたような気がして、歳はだてには取ってはいないと妙に納得した。

そのなかの一冊がコロナ禍で話題になったカミュの小説『ペスト』だった。この作品は第二次世界大戦が終わった二年後の一九四七年に出版された。「スペイン風邪」が第一次世界大戦中に広がった流れを受けての作品だったとも言われる。（ペストは黒死病とも呼ばれ、同じ題材を扱ったものとしてはイタリアのボッカチオの『デカメロン』がその代表作だ。またカミュが刺激を受けた一八世紀の英国人作家ダニエル・デフォーの『ペスト』もある。）

時代状況は違うし現代の医学の進歩は大きいけれど、感染による社会状況や人間の行動や心の在り方などはまるで今の状況をそのまま描いたような作品だと思えて、私も多くを考えさせられた。カミュは「不条理の哲学」や「実存主義」を根底に置いた作家だ。一九四二年には『異邦人』や『シーシュポスの神話』（『シジフォスの神話』）を世に出し、その後一九五一年に『反抗的人間』でサルトルとの論争『革命か反抗か』に至ってふたりの哲学的作家の仲は決裂する。その後も何冊かの作品を著した。そうしたテーマについて当時、多くの若者がそうだったように、多感な時代の私も仲間たちと公園の芝生や喫茶店などで討論し合ったりした。歳をとるにつれてこうした作家とは遠ざかっていただけに今回の再読で、ある意味で私の青春とも重なって懐かしさを覚えた。

読み返して、若い頃に感じた哲学的な思想というよりはむしろドキュメンタリーのような側面を強く感じた。国内外で私自身が四〇年以上にわたってドキュメンタリー写真を撮ってきたからそう意識したのかもしれない。戦禍のなかで苦しむ多くの人びとに会い話を聞き、写真に収めてきた私の数々の重い体験があってしだいに読み方や感じ方も変化したのではないか。

まるで小説や映画のような現実に直面し、私はその現実に打ちのめされそうになりながらも取材を重ねた。戦火で傷ついた目の前の人たちの姿と真実をどう伝えたら良いのか、どうしたらある意味、平和な状況で暮らす人たちに彼の地の悲惨な状況をわかってもらえるか、さらに彼らと繋がってもらえるか、同じ時代に生きている者同士だということを悟ってもらえるか、全く異なる状況にいる人たちが互いに共感しうるようなインパクトを私の撮影する写真が持ちうるかなどと、悩む歳月だった。今でもこのギャップはなかなか解消できないでいるが……。

「ペスト」を生き延びた人類の教訓は、真実を冷静に見極め一人ひとりが互いに協力し合うべきことが唯一ともいえるようだ。まさに過去の歴史の教訓に学ぶことの大切さをカミュは主張しているように思う。コロナ禍にある今、小説から教えられることは時空を超えて測り知れないものがあると改めて感じている。それだけに、今コロナウイルスに感染し犠牲になり苦しみと戦っている大勢の人たちに思いを馳せずにはいられない。また前線のように過酷な状況で勇敢に闘っている医療従事者には敬意以外の何ものもない。『ペスト』の主人公も医師ベルナール・リウーであり、彼を助けるさまざまな人たちの存在も大きい。

『ペスト』では次のように語っている。

誰でもめいめい自分のうちにペストをもっているんだ。なぜかといえば誰一人、まったくこの世に誰一人、その病気を免れているものはないからだ。そうして、引っきりなしに自分で警戒していなければ、ちょっとうっかりした瞬間に、ほかのものの顔に息を吹きかけて、病毒をくっつけちまうようなことになる。自然なものというのは、病菌なのだ。（略）つまりほとんど誰にも病毒を感染させない人間とは、できるだけ気をゆるめない人間のことだ。（宮崎嶺雄訳、新潮文庫）

小説の最後をカミュは次のような言葉で締めくくっている。

ペスト菌は決して死ぬことも消滅することもない（略）そしておそらくはいつか、人間に不幸と教訓をもたらすために、ペストが再びその鼠どもを呼びさまし、どこかの幸福な都市に彼らを死なせに差し向ける日が来るであろうということを。

小説の主題のひとつは未曽有の困難を克服するために人びとが知恵を絞り合って、カンカンガクガクの議論をしていることだろう。果たして今「コロナ禍」にある私たちは立場を超えて知恵を出し合っているだろうか。逆かもしれない不安がよぎる。

このラスト・センテンスに今の世界、そして「コロナ後」の世界に向けた意義深いメッセージがある。気を引き締めるためにも、私はあまり知らなかったペストについてのあれこれの本や資料に目を通しながら歴史を辿ってみた。

ペストは二〇〇〇年前に中国で感染の拡大があり、その後、陸のシルクロードを経て菌を持った鼠が荷物に紛れ込んで運ばれ、六世紀にはローマ帝国で深刻な被害が出た。地中海から海を経て七世紀には中国で再度の流行となった。ローマ帝国も中国も人口の激減を招いて衰退した。そして九世紀頃には地中海の文明都市から、ペストの被害が比較的に少なかった北部へと勢力が移って新しいヨーロッパが生まれた。一四世紀、中国で更なる大流行が起こりペスト菌はモンゴル軍の西方侵略に伴って中央アジアからヨーロッパへと運ばれた。ほとんど同時期、ヨーロッパでは農業革命による人口の増加によって森林などが開拓されていった結果、森で生息していた動物が激減し餌だった鼠が急速に増え都市に流入した。低温や長雨といった気候変動も起こって作物の収穫が減り、飢饉状態を招いたところにペスト菌が侵入した。

『ペスト』の題材にもなったパンデミック状態は一四世紀、ヨーロッパの全人口の三割ほどのいのちを奪い、世界中で一～二億人が犠牲になった。この疫病の蔓延を経てキリスト教が否定され、ヨーロッパの人びとは古代ギリシャや古代ローマの哲学や思想、芸術に回帰した「ルネサンス」となって中世に終焉をもたらし、近代の夜明けとなった。

一七世紀には英国で蔓延《はびこ》り、同時代に生きたジャーナリストで作家のダニエル・デフォーがペスト体験者からの取材を基に数冊の作品を著した。カミュは自作『ペスト』のエピグラフにダニエルの『ロビンソン・クルーソー』（ダニエル・デフォー、一七一九年）の一文を引用している。

ある種の監禁状態を他のある種のそれによって表現することは、何であれ実際に存在するあるものを、存在しないあるものによって表現することと同じくらいに、理にかなったことである。

こうして、疫病のパンデミックが有史以来、時代を大きく変革させてきた事実を考えながら私には、二〇一九年九月、スウェーデンの環境活動家、グレタ・トゥンベリさん（当時一六歳）が国連の「気候行動サミット」で、地球温暖化について語った言葉がよみがえる。「人々は苦しみ、死にかけ、生態系全体が崩壊しかけている。私たちは絶滅に差し掛かっているのに、あなたたちが話すのはお金のことと、永遠の経済成長というおとぎ話だけ。何ということだ」

経済活動最優先で、二酸化炭素（$CO_2$）の排出量を抑制できずに、地球温暖化を加速させ環境破壊を続ける私たち大人への強烈な批判だった。

疫病の歴史が時代を変革させ、時代を画する劇的な変化とリンクしていると考えると、近代化に伴った地球温暖化などによる環境の変化とコロナウイルスの間は、たしかに無関係ではなさそうだ。温暖化によって、北極や南極をはじめ世界中の氷が溶けだすと、海面が上昇して水没しそうな島や川底に沈みそうな村が現れるだろう。現在すでにそのような事態が起こっている。それだけではない。永久凍土が溶け出すことによって、封じ込められていたさまざまな微生物や菌が目覚めて、融合することで新たな病源になるかもしれないと警告する専門家もいる。温暖化による異常気象によって山火事や水害、豪雨、乾燥などが、新たなパンデミックの引き金となる可能性があることを私たちは衝きつけられている。

二〇二一年にはＣＯＰ26（国連気候変動枠組条約第26回締約国会議）が行われた。合意された内容の要約をまとめた文書が「グラスゴー気候合意（Glasgow Climate Pact）」と名付けられ、世界の気温の上昇値を工業化以前の平均気温から一・五度までに抑えることを目標とした。これを、「決定的な10年間」ともされて世界が努力することの約束が交わされた。こうした動きに反対する勢力が内外にあるけれど、私は、個人でも温暖化への減速ができることを一人ひとりの誰もが行うことでかなりの$CO_2$排出の現象に貢献できるのではないかと思っている。子どもでもわかるような単純なことだ。経済成長に結び付けて批判を展開するのはナンセンスだ。ましてやウォール街の論理に添おうとするのはもっと理解しがたい。

グレタさんは「経済成長というおとぎ話」と吐き捨てるように言ったが、ペスト後のルネサンスを経て産業革命となった以降の人間は、ひたすら経済成長を求めてきた。ウイルスに対処するのに科学力は欠かせない。ところが科学文明は同時に兵器開発による軍事力を増強させてきた。日常のなかで人びともまた、最先端の技術に遅れまいとして、つま先だって小走りで追いかける。その様子はいかに落ち着きがなく自分自身を見失っていることか。地に足を着けて生きていくことの大事さを私たちは思い返したい。地に足を着けた姿、まさに地道に生きることは私が長年にわたって取材してきた内外の多くの人たちから教えられてきた人間としての生き方の根本だ。

二〇二〇年八月、日本のどこかの教育長が委員会で「コロナ禍を解消する方法は、どこかで大きな戦争が発生することではないだろうか」などと発言して辞職に追い込まれた。実際は、ウイルスは銃を持った人間にも同じように襲いかかるので、戦争をしてはいられないのが現実だ。アメリカの原子力空母の乗組員が多数、このウイルスに感染して、島のように大きな空母は単なる鉄の塊となって無用の長物と化したことも記憶に新しい。

それにもかかわらず、ロシアはベラルーシ軍と協力してウクライナに侵攻し、猛烈な攻撃を続けている。ウクライナ東部をロシア領にすると宣言し、果てには独立させ、ロシアの核兵器配備も含む条約を結んだ。世界中があ然とし混乱するなか、ロシア軍は首都キーウ（キエフ）や第二の都市ハルキウ（ハリコフ）、さらにマリウポリは九割破壊され大勢の市民が犠牲になっている。現場では戦うしかないロシア兵士たちも故郷を思い愛しい家族や友を想わない日はないのではないだろうか。権力者の強欲は実に利己的だと見せつけられる思いだ。

さらに、「コロナ禍」を逆手に取ったイスラエルはワクチンでいち早く立ち直った後、二〇一九年五月にガザを激しく攻撃した。ワクチンが不足して苦しんでいるパレスチナ人をこの時とばかりに攻撃する態度は実におぞましい。「コロナ禍」をも好機と捉え自国の利益を追求する人間の本性とは何なのか。暗澹とした気持ちになる。

「スペイン風邪」は第一次世界大戦の最中とも重なったこともあり、世界では戦死者よりも多い二〇〇〇～五〇〇〇万人が亡くなり、感染者は六億人とも伝えられている。日本でも人口の半分に当たる二三〇〇万人が感染し、三八万人が犠牲になった。一〇〇年前、当時、ウイルスに変異株があってより強力な感染力を持ったかどうかはわからなかった。それでも、第一波より第二波の方が強力で、第三波はさらに強度だったことで大勢の死者を招いた。将来はさらにさまざまな感染力を持つウイルスが出現するかもしれない。そんな不安が付きまとう。医療崩壊を招き、死者の数がますます増える。なぜ、そうした事態を招くことになったのか。それはコロナウイルスの特性が人の唾液、飛沫から感染することを知っていながらも、大勢が集まりテーブルを囲んだ飲食や団欒を楽しむなどといった欲望を満たすことなどが主な原因のようだ。まさに「人間の本性」に反することを強いるという悩ましいことではあるが……。科学の進歩は一〇〇年前の当時に比べると遥かに勝っているから一〇〇年前と同じとは言いがたい。

コロナウイルスの情報はかなり行き渡って多くの人がわかっていながら防衛処置や予防対策をなかなか守れない……、それは単純な理由だ。我慢ができないからだろうし、たいしたことはないとか自分にはうつらないと高を括るからともいえる。私たちは集って会話することで活性化し、生きていることを実感する習性をもっている。まるで独房に監禁されたような圧迫感にさいなまれ、次第に気持ちはうつ状態になっていくのは私も同じだ。それを誰もが等しく感じるからこそ、いわゆる「三密」を避けられずに飛沫を飛び交わせないではいられないのだろう。海外から送られてきた集団的な祈りの映像を見ながら、これでは感染しないはずがない……とつぶやいてしまう。けれど、彼の国の人びとにとっても集団的な礼拝や祝賀会、集会などに参加することは生きるに欠かせない大事な伝統、習慣となっている。

「ウイルスの猛威は、戦争の愚かさを如実に示している」と国連のグテーレス事務総長は何度も発言している。戦争で傷ついた大勢の女性や子どもたちは銃や爆弾などの兵器によって、家や家族を失った。戦争とは何なのか……！　人間の欲望の産物でしかないからこそ、自然界の脅威であるウイルスの猛威に襲われた今こそ、冷静に足元を見つめ直すことの大切さを訴えているのではないだろうか。

地球に生き物が芽生えた頃にはすでに存在していたウイルスについて、現代医学や科学による解明によって、私たちは興味深い歴史を知ることができる。カミュの「どこかの幸福な都市に彼らを死なせに差し向ける日がくるであろう……」という言葉にも菌とウイルスの違いはあっても、実感が湧く。コロナ禍以降へのメッセージかと錯覚する普遍性を持っている。そして、老いも若きも、私たちはみな自分の残りの人生をどう生きていきたいのか、何がいちばん大切なのか、胸に手を当てて考える時期にあるのだと思わざるを得ない。むろん、同時に個人の内側に籠もらず、社会や指導者への関心を常に持ちながら私たちにできることを見極めたい。人間の叡智を結集し発展させていくための模索を迫られていると思う。未来を担う子どもたちのためとに。戦禍にあえぐ子どもたちの涙を笑顔にかえるためにも。

銀座

TAXI
GUCCI
8-20

井の頭恩賜公園

## 差別～意識と無意識

写真家の卵だった若かりし頃の私のエピソードを話したい。それは撮影を依頼されてアシスタントの男性と一緒に現場に向かったときのこと。現場に着くと、撮影に立ち会う人たちが腕時計を見ながら「カメラマンはまだかな……？」と言い合っていた。やがて被写体になる人が現れたので、私がカメラを手に撮影をし始めると、「え？　妹が撮るの？」と言葉を投げかけてきた。アシスタントがカメラマンで私はその妹だと思われていたらしい。笑顔で「私が撮影します」と返したものの相手はあ然としたような表情でしばし身動きもしなかった。

もう半世紀近くも前のことだから、その頃は「カメラマン」という言葉に象徴されるように、男性が撮影者。女性は……？　それは撮られる側のモデル的な存在、ということが一般的だった。そうした時代だったから私が女性だというだけで何かと摩擦が起こった。「女流カメラマン」とも呼ばれたので、「私は流れていません」と反発しては「かわいくないね！」と嫌味を言われた。けれど、彼らも根から差別をむき出しにしたのではなく単なる思い込みにすぎず、時にはさほど意識もしないで言っていることが伝わることもあった。逆に言えばそれほど男女差別は根深いものだと言えようか。

ただ、本人の私にしてみると許しがたいと思うことは他に幾つもあった。たとえばそのひとつに、「女は失敗するとすぐ泣くからな」と大勢の前で声を張り上げて言われたことがある。

「私は泣きません！」と大声で言い返すと、「何しろ女はチヤホヤされてダメになるんだよ」と付け加えた。「私はチヤホヤされていません」ともっと大きな声で言い返した。むろんのことだけれど、それ以来、そことの仕事の縁は切れてしまった。内心は切れても構わないと思いながら言い返したのだから悔いはなかったが、今思い返すと、もっと穏やかな反発もできたかもしれないのに。

近年、男尊女卑はだいぶ少なくなってきたようだけれど、そう簡単には消え失せはしない。社会の制度、法律も含めて意図して直してゆくしかないのだろう。翻って四～五世紀の古代日本には男尊女卑の思想も社会構成もなく、古墳からは女性の首長が多く発掘されているようだ。戦闘が増えるにつれて男性の首長が増えていったが、集落での女性の役割は重要で決して男性優位ではなかった。とすると、戦争、軍事が拡大することで頭脳よりも体力が必要とされ、近代化するたびに男性の論理が加速され、女性はその助っ人の役割になり、やがて男性優位が男尊女卑に繋がりながら現代の社会構造を構築させてしまったのかもしれない。

こうして男女差別は長い歴史的な歳月によって形成されてしまったけれど、そのほかにも多くの差別があって、この世は差別だらけだと言っても過言ではない。人それぞれ各人の内側にも差別は意識しないままにも存在していることが少なくない。もう四〇年以上も前のことだが思い出すエピソードがある。地方都市に大学時代の友人を訪ねたときに、当時はまだ珍しかった洋菓子のバウムクーヘンを手土産にした。友人は同郷の仲間を前にして「東京のヤツ（人）は、みやげにパンなんか持ってきた」と言った。

喜んでもらえるかな……、話題も広がるかな……と思っていたのだが、友人の味覚からすると「パン」だったのだろう。さりげなく好きな菓子を尋ねると有名和菓子店の「虎屋の羊羹」だと高笑いした。

それよりも私の胸にずしんと来たのは「東京のヤツは」という言葉だった。本人も大学時代は東京に住んでいたのだから、東京の味をささやかながらも懐かしんでくれるかと思ったけれど違っていた。友人には複雑な経験があったのか、あるいは私に対しての何らかのメッセージだったのか。いずれにしても「東京のヤツ」という言葉が妙に頭の隅に残ったが、この「ヤツ」にはもしかしたら親しみを込めていたのかもしれないが……。その一方で、「珍しいかな」という私の思い込みも実はかなり失礼だったと後で気づいた。そのとき、友人は私の心の奥の差別とまではいかないもののある種の淀みを見抜いていたのかもしれない。

些細な例だがここにはたしかに差別の芽がある。意識した差別と無意識の差別があるから始末に悪いが、胸に手を当てれば私もまた幾つもの差別をしてきたのではないか。

思うのは人の心の奥底には差別を生む何かがあることだ。それは何なのだろうか。末っ子が、兄姉にいじめられるとその矛先を飼っている猫などに向けたりもする。いじめと差別は同じとは言えないが、されたら、する。そうした整理のつかない気持ちから生ずるのが、ある種の差別の始まりかもしれない。猫はたとえだけれど、弱いものへと高飛車に向かう自分の感情を利用して満足しながら気持ちのはけ口としてしまう。外部からの刺激によって内なる無意識の差別が意識化して野放図に育っていくような気がする。生まれたばかりの赤ちゃんは平等な感覚を持っているようなのに次第に歪んだ意識が芽生えていく。ではどうしたらよいのだろうか？答えは簡単ではないし、差別について個人についても社会に関しても一口に言えるものではない歴史的な深さもある。比較的に平等だった石器時代から社会を形成し発展させていく過程で、先に触れたように形成されていったピラミッド型の構造が差別を芽生えさせ加速させた面もあるだろう。

この社会にはたくさんの差別があって自分の努力では改善、解消、解決はかなわないものが幾つも横たわっている。複合的に抱えている人たちも決して少なくはなさそうだ。同時に自分を振り返りながら、内に潜む差別意識に自己矛盾で圧し潰されそうになっていく。差別の原因やきっかけはさまざまだけれど、結局は無知、無恥によるものなのだろう。

新型コロナウイルス対策に従事する看護師の子どもが保育園側から「来ないでくれ」と登園を断られた。また、横浜のクルーズ船で感染して完治した乗客は友人から「治っても会いたくない。外にも出ないで」と言われたと報じられた。感染者への侮辱的な言葉に暗澹とさせられる。患者たちを治療する医療関係者に対してばかりか、その家族への暴言やいじめも後を絶たない。医師や看護師たちがいなかったら治療もままならないことは加害者の当人もわかっているはずだが。

ウイルスへの怯えが高じて排除の気持ちにさせるのはまさに利己的な自己防衛だ。ウイルスに怯える人間がウイルスよりも怖いとよく言われる。日本では昔から「隣組」が生活のなかに根深く居座っているから、警察や公安でなくても監視の目は厳しい。むろん良い面もあって病人が出たとか晴《は》れごとがあるとかのときは、隣組は共同体としての機能を発揮し、みなで協力する。ただ、「コロナ禍」の状況で神経質になり排除に向かってしまうようだ。五感で感知できないウイルスだから不安なことには違いないが、そこから差別的な思考がなぜ起きるか理解に苦しむ。利己主義の露骨な顕在化ともいえようか。実際に「自粛警察」的な目がそここにある。

たとえばお盆の時期に、東京都在住の六〇代の男性が青森市の実家に帰省したところ玄関先に手書きのメモ紙が置かれていた。「なんで、この時期に東京から来るのですか？（略）良年《ママ》して、何を考えているのですか？（略）さっさと帰って下さい!! 皆の迷惑になります。（略）」。男性は戸惑いながら「ＰＣＲ検査は二回とも陰性だったし、墓の掃除などをするために帰省した。生まれ育った所でこんなものが来るとは思わなかった」と言った。こうした状況が各地で起こっている。

イタリアやフランスでは新型コロナウイルスと闘って亡くなった人たちに弔意と敬意を表して新聞に一人ひとりの名前や簡単なメッセージを書いて掲載したそうだ。それに比べて日本では多くの場合、当人の名前も遺族についても固く伏せる。名前の発表は「個人情報」に触れるというならば、災害や事故などの死亡者の名前は明らかにされて簡単な情報も記載されることとの違いはどうなのだろうか。

日本では二言目に「個人情報に関わる」と言うが、「コロナに感染した」ことによる「いじめ」を社会全体で払拭する指導の方が先決ではないだろうか。むろん「個人情報保護」は時と場合によって人権を守るためには欠かせない。そのために作られたのだが、何もかも、それを理由に伏せていては逆に人権意識と社会生活を営む上で欠かせない公共性の低下になってしまいやしないだろうか。新型コロナウイルスが蔓延し始めて、日本人は気持ちが歪んでしまったのか、あるいは、今に始まったことではないのか？　コロナウイルスが怖いのは世界中みな同じだろうに。日本人の、あるいは日本社会の根っこにある差別的なこうした意識は何なのか？排他性や孤立主義、自己中心主義が底流にあるのだろうか。

差別はどの国にも見られるが、日本のように直接的な言葉を投げかけて当事者を貶めようとする言動がまかり通るのはどうしてだろうか。「ヘイトスピーチ」は傍から耳に入るだけでも不愉快だけれど、やはり無知、無恥がなせる結果かもしれない。

そうした一例に江戸時代か、それ以前からか続いている被差別部落の差別のことがある。同じ日本人で容姿も言葉も名前も変わらないのに根強く残る差別はいったいなぜだろうか。「同和と人権問題」として多くの人たちが差別撤廃の活動を長年にわたり真剣に行ってきたことでだいぶ薄まったとは言える。役所内にも人権に関する課が設けられ、講演会や展覧会などを積極的に行っているところもあり、私も何度か参加したことがある。けれど、結婚や就職となると今もって差別が頭を持ち上げることが多いようだ。本人は全く考えもしなくても周囲が許さないケースもある。そんな醜悪なことが同じ日本人同士で起きてきたとは思いたくもない。が、現実だ。

こうした歴史的に重い差別の渦中にいる人たちとは比べるべくもないが、私は写真家としての仕事をするなかで口惜しい思いが少なからずある。ここであえて挙げれば、その原因はやはり「オンナ」だ。先の例ばかりでなく「女とお茶は飲みたいが仕事はしたくない」などの言葉を、かつて男性から投げつけられたこともある。近年は、女性の写真家も増えて良い仕事をしているから、私の体験を話すと「エ〜ッ?」と多くの人が絶句する。写真家ばかりか男性が多い仕事を持つ女性たちには似たような体験を味わった人も少なくないのではないか。一方の逆差別も、実にやっかいなことだが。こうした状況は今でもまだまだ燻《くすぶ》り続けている。

半世紀も前は屈辱感のあまり「男に生まれたかった！」と、心のなかでどれほど叫んだことか。それだけに、幾つもの抜きがたい差別を抱えた人たちの苦悩はいかばかりかと、及ばないまでも考えずにはいられない。そうしたこともひとつの契機となって、私は戦禍や災害、事故などで苦しむ人たち、弱い立場に陥った人たちの現場に通い続けてきたのかもしれない。

差別について、思いつくままに幾つかの例を挙げてみる。

アメリカ合衆国の白人も移民であるけれど、有色人種に対する差別は鮮烈だ。アメリカ大陸には元々、モンゴロイド系の先住民（ネイティブ）が住んでいたが、一五世紀にクリストファー・コロンブスが発見して以来、大勢のヨーロッパ人が大西洋を越えて移住した。北米大陸には一億人の先住民が住んでいたが白人によって次々と排除され二五万人以下に激減した。特別区が設けられて〝保護〟され、近年は二〇〇万人になったものの、〝回復〟には程遠く、かつては百パーセントだった土地が二パーセントでしかなくなった。

さらに、黒人に対しての残虐さは目に余る。アメリカの白人は拉致や誘拐によって大勢のアフリカ人を連行し、奴隷として酷使したことで急速な繁栄を図ってきた。「黒人」は元々アフ

アメリカ、先住民

リカに住んでいたのだから肌が黒いのは当然のことだ。ところが今もなお、黒人に対する人権の擁護は乏しい。白人警察官による黒人への射殺事件が頻発していることを受けて、「人種差別反対」の波は欧州にも広がった。また、テニスの大坂なおみ選手もマスクに同じようにそのときに犠牲となった黒人の名前を入れて悼み、差別の撤廃を訴えた。彼女の勇気と自信に感動が広がった。

深刻なこのテーマは日本でも、先住民族のアイヌ民族について似たような歴史があることを留意しておきたい。同時に、海を越えて人びとを連行して働かせた歴史はアメリカばかりでなく日本にもあることを再認識せざるを得ない。たとえば朝鮮半島からの人たちだ。朝鮮半島には豊臣秀吉が侵略し、戦前の日本も植民地にして弾圧した。私たちは中国と並んで朝鮮半島の民族には古代から多大な文化の影響を受けてきた。大事な隣国の民族である。それにもかかわらず、武力に物を言わせて民族の尊厳を蔑《ないがし》ろにした。日本が戦争に負けたことで独立を果たしたものの、南北に分断された不幸を抱えて現在に至っている。日韓の間での条約や法律は制定されたが表面的なものでしかなく日本人の意識には根深い差別意識がくすぶって、今なお、「ヘイトスピーチ」などが繰り返されている。この実態は、米国の黒人や有色人種に対する人権問題、そしてこの度のＢＬＭ運動とも符合し、決して「他人事」ではないことを衝きつけられている。

かつても、耐え切れなくなった黒人たちの声が次第に膨れ上がっていった。マーティン・ルーサー・キング牧師を中心とした大勢の黒人たちの活動や努力で、一九六四年に公民権法が制定された。けれど四年後に、キング牧師は殺害されてしまった。改善は見られるものの今もなお黒人に対する「命の格差」は厳しい。結局は白人対有色人種といった「人種差別」であることは明白なのだろうと思う。トランプ前大統領の「チャイナ・ウイルス」発言で、アジア系の人たちがあからさまないじめや暴力といった差別を受けているという。

二〇二〇年五月二五日、ミネソタ州の黒人男性ジョージ・フロイドさん（四六歳）が白人警察官に殺された。その一部始終を撮影したSNS映像などがきっかけになり、黒人差別問題が再燃した。警官はズボンのポケットに手を入れたまま、膝でフロイドさんの頸部を九分二九秒間も強く押さえ続けた。フロイトさんは「お願いだ（Please）息ができない（I can't breathe）」とうめきながら亡くなった。

人びとは激しい怒りを露にし、「黒人の命は大事だ（Black Lives Matter）」と声をあげて人種差別の撤廃を求めた。六月一日、弟のテレンス・フロイドさんが兄の最期の場所でひざまずいて祈りを捧げた。「いちばん怒りを感じているのは私だ。平和的な解決をしよう。破壊行為を続けても何にもならない。兄は戻っては来ない。政治への参加で社会を変えようと」と泣きながら訴えて、集まった人たちと「左に平和を、右に正義を」と叫んだ。

暗澹とした気持ちにならざるを得ないのは決して「よそごと」ではない問題が私たちの周辺にも深い淀みをつくってしまっているからだ。まるで「写し絵」のような差別がいくらでもある。たとえば、東京電力福島第一原発事故の被災者に対する心ない差別的な言動。彼らは利用していない東京電力の放射能汚染に襲われて逃れたにもかかわらず、電力を使用する首都圏の人たちは福島から避難してきた人たちに対して「放射能がウツル」と言ってあからさまに疎外する。大人の言動に子どもも感化されて、子どもが子どもからいじめられることも多々ある。

また、水俣病など大企業が公害病を生んだケースもある。けれど公害との無関係を装った大勢の人たちがヒソヒソと悪口を言って、患者たちをさらなる受難へと追い込んでいった。その口の持ち主は私たち一人ひとりであることは間違いない。

そして原爆投下による広島・長崎の被爆者は恐怖の記憶と原爆症との闘いを強いられてきた。ある被爆者は「いちばんの辛さは差別です」と暗い眼を向けて私に語った。何年が過ぎても人間の差別の心根も社会の構図も変わっていない。

さらに沖縄の米軍基地は差別以外の何ものでもない。県民の大半が米軍基地反対の表明をしても、辺野古の今の状況に表れているように、政府は全く考慮しない。これは為政者の差別と

東京電力福島第一原子力発電所

多くの国民の無関心のせいだとも言える。それでも彼の地を訪れる度に人びとは人懐こい笑顔で私に接してくれる。その懐の深さに感激して、構えたカメラのファインダーが曇ることがよくある。

挙げれば切りがないこうした差別を私たちは日常のなかで生み育てている。新型コロナウイルスに対する恐怖心が強いといっても自分が患者にならない保証は誰にもないのに感染者を糾弾する。心の奥にある無意識の差別意識によって加害者側にもなる。ではどうするのか。結局、もし自分だったら、という想像力を働かせて相手の身になって具体的に考えてみるしかないのだ。先人たちも述べているように、お互いがさまざまな違いを認め合い協力し合いながら共存していくしかなかろうに、と思う。金子みすゞの『私と小鳥と鈴と』の詩のように「みんなちがって、みんないい。」という詩もあるし。また、社会学者の鶴見和子さんは「それぞれ異なるものは異なるままに、お互いに支えあってともに生きていくような新しい文化を創り出す道はないものか。」(『遺言』藤原書店)と、語っている。

些末な差別心を放っておくことで憎しみが芽生え、歴史が雄弁に示すように取り返しがつかない人権破壊に繋がらない前に。

水俣

## 三人の少年

子ども時代に多くの人たちに愛された『にんじん』（岸田国士訳、岩波文庫、一九七六年改版）を久々に手にした。「髪の毛が赤く、顔じゅうに雀斑《そばかす》がある」ことから名前ではなく髪の色からいつも「にんじん」と呼ばれた少年が主人公。両親と兄姉の五人家族の末っ子として育つが、彼は母親から何かにつけいじめられる。物語の核は作者ルナール（ルナアル）自身のことにある。少女時代に読んだときは作者と主人公とを結び付けては考えられなかったが、胸が痛んだ記憶がある。

改めて今回、ルナールが実際の人生のなかでいかに苦しんだかがわかり胸に迫った。作家自身のことをもっと知りたくなり、古書で『ルナール日記　第七巻　１９０７〜１９１０年』（岸田國士譯、白水社、一九五一年）を入手した。茶色く変色し弱々しくなった紙面からは私の子ども時代よりも遥かに古い時代の作家の存在感が滲み出ている。写植の文字の一字、一字にも妙に存在感がある。これが「古書」に引き込まれる魅力のひとつだろうと思いながら日記のページを捲った。一文字、一文字を見ても、インクの濃度に違いがあるものや消えそうな擦れ字、そして微妙に傾いているものなど、薄茶色を背景にした印字は個性にあふれている。植字だから打つ人の感性も表れるのかもしれない。一般的な共感は得られないかもしれないが。

優れた日記は即ち上質のドキュメンタリーだから「事実の重み」と「真実性の強さ」がある

ので、歳月を超えても読者の目の前に存在しているような錯覚に……期せずして陥る瞬間がある。優れた作家の日記が昔から「日記文学」と称せられる所以なのだろう。『ルナール日記』は一八九六年から書き始められ、ルナールが亡くなる直前までが綴られたものだ。

一九一〇年の日記の最後からふたつ目は、

三月三十一日
モレアスの死。今度は俺の番か？
これは、祖国に背き、若干の美しい詩を書き、私を馬鹿扱ひにした詩人だった。（著者注／これは、というのはモレアスのことであろう）

その次の日付が最後となった。

四月六日
ゆうべ、私は起き上がろうとした。體《からだ》が重い。一方の足が寝台の外に垂れる。やがて、その足を傳《つた》つて、ひと筋の液體《たい》が流れる。そいつが踵《かかと》のとこまで行きついで、やっと私は決心がつく。また蒲團《ふとん》のなかで乾いてしまふだらう　嘗《かつ》て「にんじん」だつたあの頃のように。

この日附で「ジュール・ルナールの日記」は絶え、ジュール・ルナールは一九一〇年五月二二日、世を去った。

作家ルナールにとっての『にんじん』はまさに自分自身（分身）でもあり、人生の根幹だったであろうことが日記から伝わってくる。とりわけ心の闇のようなくだりは日記の最後のページに凝縮されているように思う。『にんじん』を再読して、心の病について気になった。母親からたびたび言葉の虐待を受けていた。たとえば次のように。

「ルピック夫人――神経家ぶるのはよしとくれ。心ん中じゃ、うれしくってたまらないくせに……。」

「ルピック夫人（右手を振り上げ、崩《くず》れかかる）――お前の嘘吐《うそつ》きなことは百も承知だ。しかし、これほどまでとは思ってなかった。嘘の上へまた嘘だ。どこまででも行くさ。初めに卵一つ盗めば、その次は牛一匹だ。そして、しまいに、母親を締め殺すんだ。
最初の一撃が襲いかかる。」

相手が母親であるだけに彼の心がいかに傷つくか、想像に余りある。言われた「にんじん」は母親に反抗の言葉を返さないで、むしろ母親を気遣っているのか、あるいはこれ以上は嫌われたくない思いなのか。よくよく考えてみると、親と子の年齢差ばかりでなく育てる側と育てられる側の関係差が大きく影響して、胸の内では言葉が湧き上がっても小さな子どもが大人に反対の意見を言えるケースは少ないだろうと思う。それだけに悶々とした思いは歳月とともに消え去るどころか、密度を増しながら徐々に溜まっていくと私には思える。

ついに彼は父親にこう訴える。

「僕、ほんとうをいうと、もう、母さんが嫌いになったよ。」

と言い、自殺を図ったこともあったと明かした。

「おれなんか、絶対に、誰も愛してくれやしない！」

それと同時に、ルビック夫人が、しかもあのすばやい耳で、唇のへんに微笑を浮かべながら、塀の後《うし》ろから、物凄《ものすご》い顔を出した。

すると、にんじんは、無我夢中《むがむちゅう》で附けたす――

「そりゃ、母さんは別さ」


小説はここで終わる。意味深い終わり方だ。彼は母親を憎みつつも彼女への気遣いは並の息子を超えている。男の子が母親に抱く屈折した微妙な心象風景が感じられる。母親の暴力的な言葉を受けていても「そりゃ、母さんは別さ」と咄嗟に言い訳をする息子の心は、やはり母親に深く愛されたいという素直な感情なのだろうか。

最近、まるで『にんじん』を重ねたような精神科系の研究が進んでいる。「発達障がい」は以前から聞いている病名だけれど、似たような病状に「愛着障がい」があることを思い出した。少し調べてみると、幼少期に両親（保護者）とりわけ母親から受けた虐待が心にも脳にも大きなダメージを与えたことによって起こるものらしい。まさに『にんじん』の主人公はそのひとりかもしれない。今や治療の研究も並行して進められているようなので期待している。

親にとって我が子は可愛いに違いないが、子どもが親の感情を逆なでするケースも当然ある。子どもは幼くても大人と変わらない感受性を持っているし、子の成長は日進月歩だから、親はいつの間にか追い抜かれてしまう。さぞかし苛立つだろう。こんなはずじゃなかった！　と何度も独り言を繰り返す。でも子どもは母親という港に守られた小舟の存在だから子どもにとって安定は重要だ。それを欠くと「愛着障がい」が子どもの心に生じて不安定となる。母親への信頼、愛着は絶対だということなのだろうか。

心や脳の問題は人間が集団で社会生活を営み始めた古代からの、悠久のテーマだ。苦悩によって哲学が深まり、その表現として「文学」が始まり、さまざまな名作も生まれた。『にんじん』もそのひとつかもしれない。

ルナールは晩年の数年間、心臓病に苦しめられて、一九一〇年に亡くなった。最期には何を考えていたのだろうか。日記では「にんじん」が生きているけれど、たとえば作家で農民でもあった宮沢賢治は死の床にあった一九三三年に、

雨ニモマケズ…

ホメラレモセズ　クニモサレズ　サウイフモノニ　ワタシハナリタイ

という言葉を遺した。
人生の最期に何を思うか……私も時に考える。まだ答えはない。充実した一生を送っているわけでもなく、いえ、むしろやり直したいとさえ思うこともある。とは言いつつ、またこの社会で困難の多い人生を毎日毎日、長らく送るのはやはり、もうたくさんだ……。

ルナールは幼少年時代に刻まれた自己の辛い体験を小説という場を借りて表現し普遍化させた。浄化された心の傷が一〇〇年以上も経って私たちに迫る力強さに身が引き締まる。作家は後世の者たちに、人間の日常におけるいじめという虐待の積み重ねがいかに罪深いものかを『にんじん』を通して警告している。

そして、「にんじん」のような子どもたちを私たちはいつもどこかで必ず目にしている。近所で、教室で、家のなかで、乗り物のなかでも……。けれど、なかなかその子の内側には分け入ってはいけない。じっと見つめていると、あるいは付き合っていると、ふとしたときに子どものSOSが表に出ることがあるかもしれない。
それでもなかなかその子の内側には入れないからついには事件に発展してしまうのだろう。

それでは遅すぎる。取り返しがつかない。けれど、家族に苦言や注意もしにくいこともあって、手遅れになることが多々ある。たしかにこの点は親戚との間でも難しい。「親子のことはほっといてくれ！　口だししてくれるな」と良かれと思って提案した私の思いも一言で強く遮られたこともあった。他人ではもっと難しいかもしれない。もっともケースによっては他人だからこそ解決がスムーズに運ぶこともあるけれど。

どう考えたらいいのだろう……と目を閉じていて浮かんだのが戦乱の地アフガニスタンの街はずれで会った少年の表情だった。

強い日差しの通りを歩いていたとき、金属製の何かを叩くような音が聞こえてきたので建物に目をやった。暗くて内部はほとんど見えない。思い切って足を踏み入れたが陰は闇のように暗く、太陽光線の明暗に頭がくらくらしたほどだった。眼が慣れて辺りを見回すと、そこは溶接所だった。

がらんとした空間の先からの音に近づくと、薄暗い片隅で廃棄物かと思うような年代物のドラム缶が屋外からの反射を受けて鈍く光っていた。よく見ると、トルコブルーよりは薄いがまるで芸術作品のような色合いのものだ。傍に立った少年が何かの作業をしていた。青いドラム缶は、少年が創ったかのような不思議な雰囲気がある。まだ戦争が続くアフガニスタンの、灯りも乏しく設備もかなり不足している工場の片隅の使い古したドラム缶でありながら、その存在感の強さに困惑しつつも魅せられた。そして、それ以上に心を惹かれたのは痩せた少年の姿だった。

ドラム缶と向き合うように俯《うつむ》いて作業をしていた少年に私は声をかけてみた。彼は手を休めて私の方に顔を向けた。その眼の奥が何と暗いことか。まだまだ短い彼の人生からは想像もできないほどの哀愁を漂わせている。外の光を反射した大きな黒い瞳はくっきりとしているが哀しみに溢れ、未来への希望は頬の辺りから失われてはいないものの、全身からは孤独感と苦悩が滲み出ている。

雇い主は中年の男性で親戚だった。少年のことを尋ねると、舌打ちをしながら「ヤツは……」と非難した。戦争が家族を奪い、離散させ、孤児となった少年・少女は親戚に引き取られる。その多くが労働の担い手として。少年もそのひとりだった。そうした子どもたちに私は至る所で遭遇した。たとえば、カブールの路地で物乞いをしていた少年も戦争が彼を孤児に陥れた。よれよれになった民族衣装をまとい、疲れ切ったような細い手を差し出しながら「お金を恵んで」と、大きな黒い瞳でじっと私を見つめた。瞳の奥には屈辱感と悲しみが入り混じり漂っていた。

アフガニスタン

溶接所の少年や路上の少年は戦場となったアフガンで家族を失いながらも生き抜いたのだから生に対する運の強さはあったろう。しかし、それと引き換えに一身に引き受けざるを得なかった苦難、苦悩は計り知れない。戦争は最大の悪だ。その悪に振り回される子どもたちは後を絶たない。そうした子どもたちの姿が私の脳裏に次から次へと浮かんでくる。

南スーダンの首都ジュバの路上で靴磨きをしていた少年（一〇歳、当時／以下表記のない年齢は当時）を思い出す。彼は社会ばかりか世界を拒絶するように私が構えたカメラのレンズに矢で射るような眼差しを向けた。すべての大人を許さない！　と怒りの炎を燃やし心で叫びながらも、心深く沈潜した哀しみからは逃れられない苦悩が滲んでいた。彼はスーダンとの戦争で家族を失い、孤児たちと壊れかけた小屋のような所で寝泊まりしていると言った。けれど、彼らを仕切っているのは大人の男性だと近くにいた人が教えてくれたとたん、彼は急に小さな道具類の入った袋を手にして立ち去った。屈辱を感じたのか、男性への恐怖だったのか。栄養失調で痩せこけた後ろ姿は今にも折れそうでよろよろしているのに、力強さを漂わせた小走りだった。まだ生きる生命力は失っていないのだろう……と勝手に想像しながら路地裏に消えた少年の影を追った。

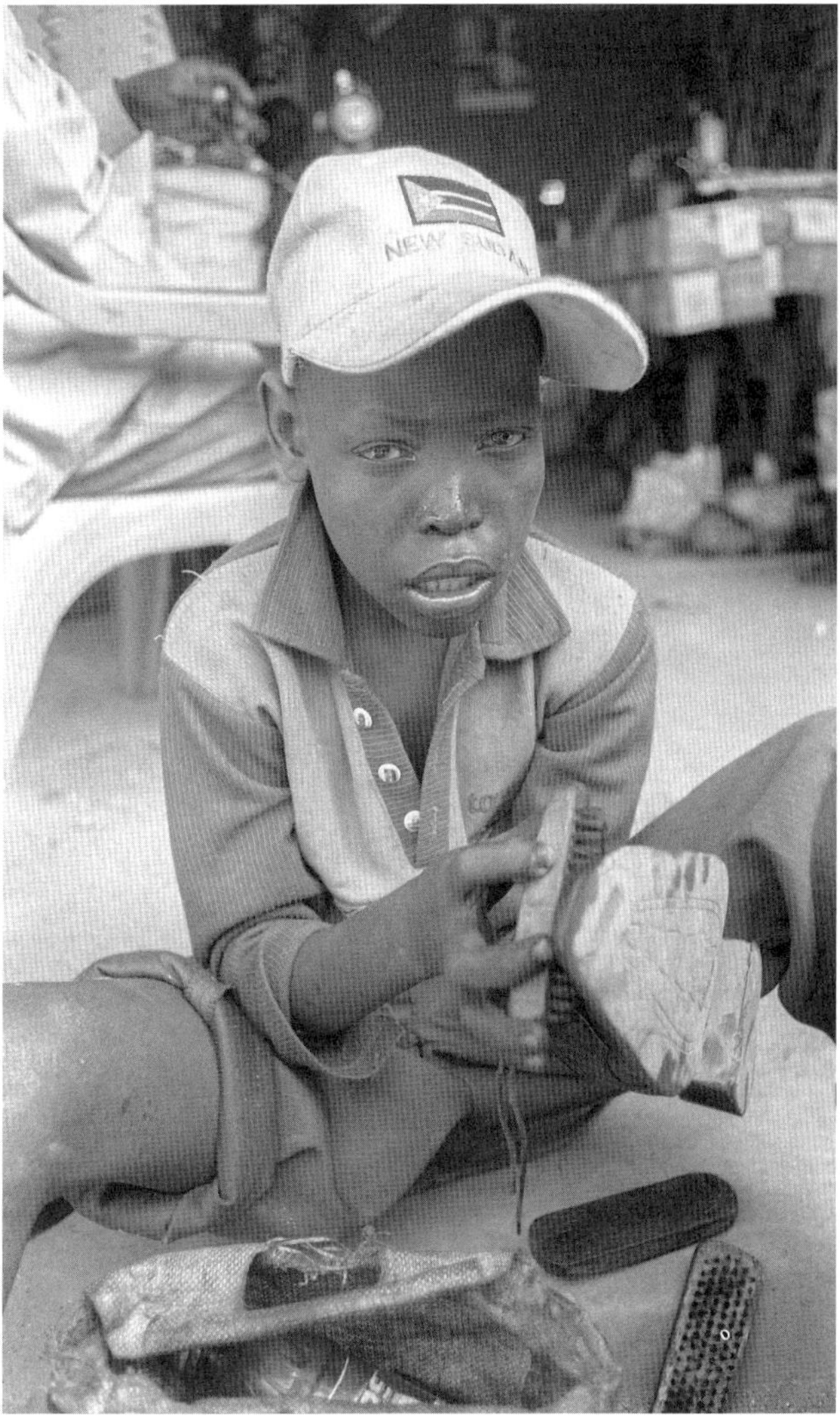


南スーダン

孤独感と哀しみを湛えた溶接所の少年や靴磨きの少年は私の目の前に存在したが、一〇〇年前の「にんじん」は現実にはいない。境遇も全く異なってはいるけれど、「にんじん」と今のふたりの少年たちの心は、きっと瓜二つなのではないだろうか。苦難の歳月を乗り越えてきたこうした子どもたちのそれでも生きているその姿を撮影することは未来を明るく照らす灯《ともしび》となるはずだ。そういう信念で、写真家としての私の半生はあったとも言えるかもしれない。

そして改めて思うのは私たちの周辺で起こる多くの子どもと親の最近の事件だ。親が室内や自動車のなかに閉じ込め放置したことで子どもたちのいのちが無惨に絶たれ、親の暴力によって子のいのちが奪われるという痛ましい事件が相継ぐ。たとえいのちは長らえても心には暴力によるトラウマが深く刻み込まれてしまう。「平和」な日本でもそれらの惨事は繰り返されている。親の身勝手とも言える苦悩が身近な子どもに転嫁され、子どもの苦しみは幼いゆえに自らのなかに沈殿していく。この悪循環を断つにはどうすればいいのだろうか。

実は、親も苦しいのだろう。子を傷つけたことを後になって悔やみ苦しむのかもしれない。「にんじん」の両親は自殺のような事故のような亡くなり方をした。父親は一八七九年に猟銃で自殺した。母親は一九〇九年に井戸に落ちたとあるので真相はわからない。母親は病気だった。

日記は「八月五日、母の死。」として、次のように締めくくられている。

私の母から最後に訊いた言葉
そのうちまた来てくれるかい、あたしに會ひに？　今日は訪ねてくれて有難う。
いじめられて憎んではいても母を労《いたわ》る子どもの複雑な思いが伝わってくる。

ダルフール難民

# 第二章　戦禍〜不条理から

## 戦禍〜不条理から

一山、一河を越えると人びとの文化や生活が異なる。そこに住む人たちを訪ねてそれぞれ固有の暮らしぶりを撮影したいという思いが私の写真家への道の原点である。第四章で登場する人びとの暮らしや原風景をカメラでとらえ、私のレンズで活写したニューギニアはまさにその頂点ともいえる。それ以外にも隠岐諸島や庄内地方など訪ねた地は何か所もあるし、今もそのことへの関心や興味は変わってはいない。

その一方でいつの間にか、「疾《と》うに終わったはずの戦争」が私の脳裏に浮上し始めた。一九七五年にベトナム戦争は終結したが傷は生々しくさらされたままだった。同時に、背筋を伸ばして凛と生きようとする人たちから「もう弾は降らない」という安堵感も感じられた。けれど隣国カンボジアではその直後に起こったポル・ポト政権による大虐殺によって全土がキリング・フィールド化していた。戦場と言える状態にあったラオスには不発弾が大量に残り、地中深く眠っていたものが突如、爆発し人びとを恐怖に陥れるという事態が続く。

周辺には大勢の戦禍に喘《あえ》ぐ人たちが渦巻いている。昔ながらの文化も暮らしも破壊されて、とりわけ社会的に弱い立場の人たちが翻弄され犠牲を強いられる戦争。

子どもの頃の日本社会に漂っていた戦争の雰囲気が何かにつけ私の気持ちのなかで燻り続けて波を打つ。文化や暮らしに関心をもって旅をしたアジアで知った住民の心に残る日本軍による戦争の傷跡の深さにたじろいだ。加害者としてのそれらが次第に膨らみ私の内側に積み重なり迫ってくる。インドシナの国々の他にも、アフガニスタン、コソボ、南スーダンなど現在も戦火が頻発する地ばかりでなく、ナチス・ドイツによる多大な虐殺《ホロコースト》の記憶に苛《さいな》まれる囚われの人たち。さらに身近な旧満州、韓国など、苦悩を抱えながら戦後をこつこつと生きてきた人たちを、あの地この地と訪ねる旅を繰り返してきた。国内では沖縄、広島、長崎での被害、東京大空襲などでの被災者の苦しみは決して他人ごとではないと強く気づかされた。

私の住む武蔵野市は日本で始まった大空襲の皮きりとなった場所なので、ここで先ず触れておきたい。もっとも、沖縄は一九四四年一〇月一〇日にいち早く大空襲を受けており、軍民を巻き込んだ凄惨な地上戦が始まろうとしていた。しかも、東南アジアの各地では激しい空爆が続き多大な犠牲者が出た。ほとんどが地元の民間人だった。なぜ、アメリカ軍は民間人をも容赦しないで撃ちまくったのだろうか。日本軍の占領地というだけで、地元の民間人まで狙うことはなかったように思うのだけれど。本土空爆を意識し計画してのことだったのか。しかも、アジアでの空爆は後のベトナム戦争の爆撃にもその手法が取り入れられた。

武蔵野では一九四四年一一月二四日の昼頃に一一四機以上の米軍機B29などによって大空爆を受けた。中島飛行機武蔵製作所が標的だったようで、工場の労働者ばかりか多くの市民が巻き込まれた。武蔵野一帯の空襲を皮切りに、日本中が大空襲の恐怖に見舞われることになった。
その日、集団下校をしていた中里崇亮さん（一九三五年生）は当時を昨日のことのように記憶している。

「道の途中でガラガラ・ヒュー・ドド・ドカーン・ドカーンとすさまじかった。地柱が立ち、煙が立ち上がった。近所のおばあさんに『はやく、こっち、こっち、こっちにおいで』と手招きされて助かったけれど、どぎまぎ、ドキドキでした。すぐ近くに落とされた爆弾で、大きなすり鉢状の穴があいた」

中里さんとは別の学校に通学していた同年齢の秋山昌文さんはその日、学校から昼前に帰宅を促され、自宅の庭に手掘りした防空壕で持ち帰ったお弁当を食べていた。「そこに突然、ドカーンと。弁当は土だらけになって食べるどころではなくなった」。以降、たびたび空襲に見舞われた。その度ごとの警報に子どもの心は侵され、秋山さんは「今でも消防や救急車、パトカーなどのサイレンが聞こえるたびに戦時中のことを想い出して、背中がぞくぞくして恐ろしくなるんです」と、眉間に恐怖を感じさせるような表情で話した。

中里さんもあの頃の悪夢にうなされることがあるという。彼はお寺の住職だ。「戦死した子どもの夢を見た。墓石のなかから『苦しいから墓の蓋を開けて』と言うので開けたら出てどこかへ行った。夕方に戻ってきて『なかに入りたい』と言われ、開けるとまたなかに入っていった。こうした身の毛がよだつ夢を見ては今でも眠れなくなるんです」

翌年四月一二日の空爆のときはB29とP59の軍団で武蔵野を襲った。島津好江さん（一九三三年生）の自宅も一トン爆弾を投下されたが、家族らは無事だった。この日をもって中島飛行機武蔵製作所は壊滅し、日本軍の高射砲陣地も同時に襲撃されたため大勢の兵士が死傷した。地主だった島津さんの実家は広く、大勢の兵士の宿舎として徴用されていたこともあって、彼女は爆撃されたその陣地へと向かった。

「まさに地獄ですよ。首のない者、足だけや内臓がはみ出した胴体……。あちこちに飛び散っていて。木の枝にも腸がぶら下がって。首のない血みどろで泥だらけの遺体を板に載せて四人で運びました。私は子どもだから力がないし、重いし。手が滑って遺体を落としてしまったんです。手袋もないから、掘り出すのも板に載せるのも、素手です。今では想像もつかないでしょう。あの頃は怖いとか、気持ちが悪いとかも言っていられなかったですね。あまりにも凄まじい日常でしたから」

小峰光弘さん（一九三七年生）は友だち五人と下校していたときに機銃掃射に狙われた。

「麦の穂が黄色くなり始めた頃、僕たち以外に誰もいない畦道を歩いていたらP51ムスタングが頭上に現れた。反転してくるぞ。ばらばらになって逃げよう、と。でも私は家に帰りたくて敵機に向かう形で走ったが、狙われて撃たれ、二mの所に着弾。恐怖のあまりおしっこをちびって、声は出なく、地べたにへばりついたままでした。今もあの機銃掃射の音は残っていますし、恐怖も忘れられません」

彼は五人兄弟の末っ子。兄ふたりは兵士になり戦死した。彼らが戦地からたびたびハガキを弟や両親、姉たちに送ってきていた。目の前に広げて想い出を語りながらも、それらをじっと見つめている表情は兄たちへの懐かしさよりも悔しさ、哀しさに満ちているように感じられる。彼は生物学の道に歩みたかったが父親のペンキ店を継ぐはずだった兄たちが戦死したことで断念せざるを得なかった。子どもの頃から好きだった虫、とりわけ蜘蛛にのめり込んでいた。蜘蛛の糸の張り方や餌の捕り方に興味を覚えて研究を続け、趣味とはいえ「蜘蛛博士」とも呼ばれるほどだ。自宅の外壁には大きな蜘蛛の絵が描かれている。その傍ら、武蔵野空襲について調査しながら若い人たちに語り継ぐ活動も怠らない。

B29が六〇機ほど飛来した四五年八月八日の空爆が最後となった。東京の隅田川辺りの一帯は、四五年三月一〇日の東京大空襲によって一夜にして一〇万人もが焼き殺された。

そのひとり、橋本与志子さん（一九二一年生）は乳飲み子の息子を背負って隅田川の言問橋へ両親と一緒に逃げた。夫は戦地に行って留守だった。「火の粉が飛んできて下駄をやられ、髪の毛にも火が付いたので、息子を抱いて川に飛び込んだんです。そこへ筏が来たので『赤ん坊だけでも』と叫ぶと、私も引き上げてくれました。両親は助かりませんでした」

「隅田川沿いには幾多もの黒焦げの遺体が折り重なっていて無惨だった」と、体験者たちは口々に話す。今でも隅田公園の土のなかには犠牲者の遺骨が眠ったままだ。何百本もの桜の木が植えられ、無辜《むこ》の民の魂を慰めようと春にはピンク色に染まる。

中島飛行機武蔵製作所の跡地は芝生に覆われ、子どもたちの声が響く中央公園となり、周囲には住宅なども建ち並んでいる。公園内に工場についての説明書きや残骸のごく一部は残されているが、ここが日本で初めての大空襲を受けた跡とはわからない。


こうした大勢の一人ひとりの魂が私に乗り移ったような錯覚に駆られ、その人たちの怨念を背に感じながらレンズを向けることも少なくなかった。さまざまな思いを抱いた大勢の一人ひとりの写真は私の心のレンズの跡とも言える。

戦争という不条理に押し潰されそうになっても、結局、戦争を起こしているのは人間だ。戦争は人びとをどん底に陥れる。戦争はいったん始まると終わりはない。その人のなかで一生涯にわたって続く。あの時代に、あの日に、呼び戻されたような表情の人たちの重い言葉を聞きながら、私は強いめまいに襲われたことも少なからずあった。理不尽な犠牲を多くの無辜の人びとに強いても戦争は繰り返される。今もなお。人間とは何なのか。戦火を潜り抜け、生き延びた人たちの瞳の奥から、言葉から、「人間」とは? という問いを衝きつけられる。

小峰光弘さん／東京

## ベトナム① 子どもたちの戦争『ツバメ飛ぶ』

井の頭公園の桜が咲く頃、南の国々からやってきたツバメが嬉しそうに池や木々の上を飛び交う様子が仕事場のベランダから見える。少なくとも一〇羽はいるだろうけれどその素早い飛び方で倍にも感じる。ツバメの胴は七cm程で一七gと小柄ながら羽を広げると三〇cmにもなるせいか、飛ぶ姿は大きく見える。ツバメの凜とした姿にいつも気持ちを慰められたり、励まされたりする。

ツバメにも天敵がいる。そのひとつは蛇。そのせいか廃屋には巣を作らないそうだ。一匹の蛇がトンビに捕まって空を浮遊する姿を目にした。トンビは獲物が重いらしくゆっくりとした飛び方だった。それを見つけた一羽のカラスが追いかけだすと、木々の間から現れた四、五羽のカラスが群れてトンビを追いかけ始めた。獲物を横取りされまいと必死に逃げながら獲物は握ったまま決して放さない。まるで天空ショーのようだったが、残念ながらその一団は建物に遮られて見えなくなった。あの蛇の運命はどうなっただろうか……。

ある日の夕方、多くのツバメが獲物の虫を探して飛び交っていたが、そのなかの一、二羽は一群から離れてしまったのかまだ飛んでいた。すると、カラスが樹木のなかから現れてツバメを狙ってまっしぐらに向かっていった。その追いかける姿は漫画の絵にもありそうな勇ましい形になっている。日頃、目にしているカラスの飛び方とは全く違う。黒い大鳥に襲われそうな可憐なツバメがうまく逃げられるかと子どものようにはらはらしていたが、やはり建物に遮られて結果はわからなかった。カラスもまたツバメの天敵だ。

人気《ひとけ》がない建物に巣を作らないのは雛を守るためにカラスと蛇というふたつの天敵を避けるためらしい。人と動物の「共生」「共存」のひとつの例かもしれない。ツバメは住まいや店先の軒下、あるいは牛舎などにも巣をつくることが多い。人間に守ってもらいたいという意思表示かもしれない。ツバメの飛ぶ速さは五〇㎞/時もあり列車の「特急つばめ」としても日本人に愛されている。そのツバメはヨーロッパでは、たとえばオスカー・ワイルドの『幸福の王子』にも登場する。ツバメの誠実さと民衆の苦悩を重ねた物語だ。子ども向けの物語なだけにかえって感慨深いものがある。

物語は——高い塀が巡らされている宮殿で王子は幸福に過ごしていたが、死後、銅像となって街が見渡せる丘の上に置かれた。そのため王子は街の醜悪さと悲惨さを一望できることになり、心臓は鉛製だがひどく痛んだ。「宮殿で私は涙というものがどんなものかを知らなかった」とある日、銅像の下に飛んできた一羽のツバメに語り掛けた。王子は丘から見えるあの子どもに、こちらの家族に……と銅像にはめ込まれたエメラルドやルビーをツバメに運んでもらう使いを頼んだ。そうこうしているうちに冬になって、お使い役のツバメは南へ戻れなくなり王子の銅像の傍で凍え死んでしまった。宝石で飾られていた王子の像は宝石をすべてなくして見すぼらしくなり取り壊された。焼却されても残った鉛の心臓とツバメの死骸は「善意と思いやりの象徴」として碑が建てられ、街の公園に残され、行き交う人の目にとまっている。

底流でこれと繋がる物語は幾つかあるだろうがそのひとつにベトナム戦争を題材にしたものがある。双方の状況はかなり違うが、苦悩する民衆の点では繋がっていそうなのが『ツバメ飛ぶ』(グエン・チー・ファン、加藤栄訳、てらいんく)だ。熾烈な戦いが繰り広げられた戦時中、そして戦後になってもなお混乱が続く複雑な人間関係を描いている。

ベトナムはフランスからの独立闘争を成し遂げた一九五四年のジュネーブ協定によって南北に分断され、アメリカはさらに住民の行き来を禁じた。中国による共産主義化を恐れての策だったと言われる。ベトナム人には一九七五年まで長く苦しい戦争が続くことになった。悲劇はアメリカとベトナム二国の戦争だけではなく、ベトナム国民が独立派であるハノイ政権+地下活動(南ベトナム解放民族戦線)と、アメリカ派のサイゴン政権側とに二分された同胞同士の内戦でもあったことだ。昨今のベトナムは、アメリカとの関係も良くなり目覚ましい経済的な発展を遂げている。けれど戦後の日本でもそうだったように戦争のしこりと影は住民の間でなかなか拭い切れない。

『ツバメ飛ぶ』の主人公の少女クイ（一二歳）の母親は米軍の砲撃で殺され、村に住んでいた父親、兄、姉は次々にサイゴン軍によって残酷で卑劣な殺され方をした。殺害したのは同村の顔見知りの男性で、しかもかつて地下活動を行っていた人だ。クイの村はその男性によって焼き討ちされ、住民の多くが殺された。怒りと悲しみと孤独に暮れながらクイは仇討ちを心に誓い、秘密組織「ツバメ隊」の一員になった。隊員は一〇〜一四歳くらいの子どもばかり。みな親や兄弟を殺された怒りの気持ちに燃えている。小さい身体で、すばしっこい動き方（戦い方）をするのでツバメ隊と名付けられた。

独り残されたクイの唯一の生き甲斐は裏切り者のその男性への仇討ちだった。ある日、機を捉えて彼女が銃を構えて撃とうとした瞬間、その男性が自分の幼子を抱いて現れたために中止した。警護兵らに追われて逃げる際、青白く痩せた薄幸な彼の妻を目にした。そして妻は「逃げて！」とクイに向かって叫んだ。かつて、彼女も地下活動家だったが夫が政権側に寝返ったことで気持ちは塞いだままだった。戦時中の複雑な状況が浮かび上がる。一二歳のクイは再び仇討ちを実行するがまた失敗した。三度目の実行で積年の思いを遂げる。だが直ぐに捕まり、最後は魔のコンソン島に投獄された。同胞ではあるが政権側の兵士や看守、民兵たちに人権を無視した酷い辱《はずかし》めを受け気絶しては無理やり覚醒させられるという地獄のような拷問を受けた。

そして戦争は終わった。一〇年ほどが経ったものの彼女の心はいつも自分が殺した男性の妻と子どものことが忘れられない。彼女は被害者としての苦しみと加害者としての自責の念に苛まれ続けることになった。社会では、かつてのサイゴン政権側にいた人やその家族へのいじめ、差別が横行している。戦後、誰もが傷を抱え困窮しているなかで彼らはさらに苦しさを余儀なくされていたことにクイは心を痛め続けた。何度も当局に異議を唱えたが聞き入れられない。

拷問が原因で彼女の健康は損なわれ徐々に弱っていった。暴行の連続、さらに家族も殺され、たった独りになった苦悩は深く、夢にうなされて安眠もできない。同時に彼女の心を支配していたのは、自分が殺した男性の腕のなかにいたあの幼児と妻のことだった。その幼児は小学生の年齢になっていたものの貧しさゆえに学用品を揃えることができず、学校へも通えない。妻は精神を病んでいたうえ食料にもこと欠く。クイの身体は死を迎えるばかりに悪化していった。それでも彼女はうわ言のように、その子への経済的、精神的な援助が必要だと口にしながら旅立った。

戦後の困窮に苦しむ人は大勢いるのに、なぜ、あの母子なのか？　一二歳にして家族を殺され独り残され、仇討ちに生命を懸けたものの、クイの抱えた人間的であることの苦悩「心の闇」は深い。その時点では、彼女は殺した遺族のことまでは思いが及ばなかった。戦争は殺されるか、殺すかだから仕方がないとも言える。それでも、クイの一生は戦争とは何かを私たちに衝きつけて余りある。

戦争はいつか終わる。終わらせるために戦うのが戦争だ。けれど終わった後、結局、人はそれぞれ個人に戻るからクイのように悲しみと悔恨の沼で溺れる人を作り出す。戦争は終わっても、勝っても、敗けても、クイのように目的を成し遂げても、こうして悲しみと悪夢の記憶に苛まれる。戦争はその人が死ぬまで終わらない。

この書を読んだ翌年の二〇〇三年、著者のグエン・チー・ファンさん（一九四七年生）を私はハノイに訪ねた。ダーク色の背広に白いワイシャツ、ネクタイをきちんと締めた生真面目さを漂わせながら、約束していた学習塾の一室にファンさんは現れた。彼は一九六五年に入隊して中部の激戦地で戦い、そのときに実際にあったことを小説風に少しアレンジして名前も変えて著したと話した。一九八九年にベトナムで出版した頃、すでに戦争が遠くなりつつあるうえ社会状況の変貌も大きく、人びとの価値観の違いも際立ち始めていた。彼は「ツバメ隊」のことを書き残しておくことで社会に問いかけたいと思った。物語『ツバメ飛ぶ』でその存在が明らかになった「ツバメ隊」の隊長だったのかと思わせるようなやや小柄ながらがっしりとした体形から、凛々しさと優しさ、芯の強さが滲み出ていた。

戦時中とはいえ、家族を殺された子どもによる敵への仕返しの戦いがモチーフになっている衝撃的な物語だ。こうした子どもが大人の敵に挑んだのだろうか？　現実には今でも世界各地で戦争はある。目の前で繰り広げられている「プーチンの戦争」によるロシア軍の攻撃、侵略によってウクライナは地獄と化している。その情報や映像の酷さには目を覆いたくなるばかりだ。そして、とりわけアフリカでは子どもが拉致されて強制的に戦士にされるケースも少なくない。とりわけ少女たちの人権はないに等しい。それが戦争の実態ならば余計に未来がある子どもたちを殺してしまう戦争は一刻も早く止める努力が必要だ。戦争は決して突然ではなく周到な準備のもとで大人の貪欲な欲望を遂げるために始まるのだから。過去にも現在でも。それでもなお、今も繰り返され続ける戦争がもたらすものについて深く考えさせられる。

「あなたは戦時中、どこで何をしていましたか？」

戦争が終わって六年目、初めて南北に細長いベトナムを私は訪ね、会う人たちそれぞれの立場を超えて尋ねて回った。とりわけ、森での戦い、大軍のたぶらかし方、生き延びられた理由、また同胞との戦いなど。サイゴン政権は青年を次々と徴兵したから村には若者の姿はなく、見掛ければ地下組織だと疑われて逮捕され、町も村々も老人、女性、子どもばかりになった。それでも、アメリカ軍の壮大な戦力（第二次世界大戦で使用された原爆を除いた爆弾、砲弾の量の約三倍の七八五万トン）は勝利に結びつかなかった。

それだけに地下活動の存在は大きかったのだろう。「人びとはどのようにして戦ったのか？」

と一人ひとりの顔を見ながら聞きたかった。一九八一〜二年の取材だったから人びとの傍には戦争の記憶はまだ色濃く残っていた。結論から言えば、その後に読んだ『ツバメ飛ぶ』やその他の出版物とあまり変わらない戦いの話だった。たとえば、歴史の彼方のスペイン内戦でのパルチザンも、ナチス政権下での地下活動やアフガニスタンの反ソ連勢力といった人たちもみな共通した民衆の抵抗の歴史である。

クイが一二歳から活動を始めたように、村々では子どももじっとしてはいられなかった。自分たちの村が襲われ、村人が殺害されていったからだった。クーロン河（メコン河）沿いのデルタ地帯にあるベンチェ省のある村道で、麦藁帽子をかぶった少年のタイさん（一六歳）とすれ違った。彼は恥じらいのような笑みを浮かべて私を見た。人懐こそうなその笑みに惹かれて声をかけてみた。しばらく今の村や学校などの日々を聞いた後で戦時中のことを尋ねた。

「まだ幼かったから妹とふたりで見張りしかできなかったけれど、暗号を作って敵が来たら……と、決めたり、手紙を届けたり。七四年に村が激しい掃討作戦で砲撃されて父さんは殺された。七歳のボクは壕に隠れていたけれど父さんが守ってくれたと今でも思っている」

そう語ってくれた時、私が魅せられた彼の個性的な柔らかい笑みは消えていた。

別の村で会ったベンさん（二三歳）はこう話した。

ニッパヤシに囲まれた水路を行くベンさんと友だち、ベトナム

「一一歳か一二歳の頃、父から幹部に手紙を届けるよう言われたので、見つからないよう小さなパンのなかに埋め込んだの。もし、捕まったら丸ごと食べてしまおうと思ったわ」。また別の日、父親がサイゴン兵の友人宅へ行ったときに付いていき、軍の移動日を耳にし、少女はすぐに活動隊に知らせた。彼女は子どもながらにさまざまな工夫をして役割を果たしていった。戦後、中学校に通い始めた。「戦争で失ったものは大きかったけれど、私だけではない。歳を取り過ぎたけれど学校で勉強ができて、とても楽しいわ」と、つぶらな瞳を輝かせた。

ガンさん（二〇歳）は「ボクが八歳頃から遊びながら敵の情報を取っては村人に知らせたりしていた。七二年、ボクが一一歳のときに、道を歩いていた両親が突然、射殺された。両親だけではない、その時、大勢が殺された。どうしても侵略者は許せなかった」

こうした話は村々を歩けば行き交う人、何人からも聞くことができた。「ツバメ隊」のような秘密殺害隊の話は聞かなかったけれど、子どもたちも戦う大人たちの助っ人だったようだ。村人がコミュニストではなくても、殺されたり暴行されたりすれば、当然のことながら加害者である者への反発から反アメリカ、反サイゴンに陥っていくだろうと子どもたちの話を聞きながら改めて思った。レジスタンスに向かうのは人びとが理不尽に日常を奪われたことに対する抗いの決意から始まるのだろう。

平凡な農民だったゾンさんも夫と息子（一二歳、一四歳）を村に現れたサイゴン兵らに殺された。道案内を頼まれて森のなかに消えた直後に銃声がして三人とも。理由は「ベトコン（地下活動家）だから」というものだった。「否定したが認められず、怒りと悲しみ、恨みで、やがて私も地下活動を始めました」と硬い表情で語った。ベンチェ省のその村の当時の人口九〇〇〇人のうち、犠牲者は一般住民が二五〇〇人、解放軍戦士は四〇〇人だった。いかに住民の犠牲が多かったか。沖縄戦でも住民の犠牲、とりわけ女性や子どもの犠牲数が圧倒的に多かったことを考えると、戦争は人間、特に弱い立場の人たちをムシケラのように扱う構造を持っているのだろう。

村人は自分たちの故郷を守り、自由を取り戻して自立するために戦ったといえる。戦争中、村人の多くがアメリカ軍やサイゴン軍のやり方に憤慨していた。「解放民族戦線の兵士たちは辛く苦しい条件をあえて引き受けて森で戦った。こっそりと食料や水などを村人が運びました」という声もそこここで聞いた。たとえば牛に米などを積んで歩かせた。牛は飼い主の所に戻るから、農民は何の疑問も持たない。アメリカ軍も牛を攻撃はしないから、食料は少しずつ届けられた。見つからなかったのだろうか？「そりゃ、見つかって犠牲も出ました」。けれど降参するわけにはいかないから、工夫を凝らして戦ったと随所で聞いた。アメリカ軍は軍用犬を森に放した。〝敵〟だと犬は尻尾を下げる、〝味方〟だと振る。

「どんなに息を潜めても、よく訓練された立派なシェパード犬の尻尾にはかないませんでした。

そこである日、米軍の倉庫から石鹸を盗んで、それを壕の周囲に撒くと、犬は尻尾を振ったんですよ」

ユーモアを交えながらも真摯な態度と真剣な目で元活動家は体験を話してくれた。アメリカ軍の物量作戦に対して村人は工夫をこらし知恵を絞って、素手で戦った。アメリカ軍は森にひとつの足跡を見つけても大量の爆弾を打ち込み、小道でも見つけようものなら地形が変わるほどの砲撃をした。そういった話を聞きながら、沖縄戦でも「アメリカ軍の砲撃で地形が変わった」と住民からよく耳にしたことが重なった。

一九六六年、まだ学生だった私は南ベトナムを八人の学生らと訪れたことがある。サイゴン市内の教職員用宿舎を宿にしていた私たちの所にベトナム人学生たちが訪ねてきて懇談していた。と、ドーンと砲弾の音が響いてきた。市街戦ではなかったので、近郊の森だろう。「また、誰かが殺されたね……」とベトナム人学生は悲しそうな表情でぽつりと言った。移動のために森の上空を飛んだとき、眼下の砲弾の煙を何か所かで目にした。森には入れなかったが、いつかそこで戦う人たちを訪ねたいと思いながら身を硬くしていたことを思い出す。

村々は危険にさらされ、貧しさは極限状態であったうえ、生きることさえ困難になっていたので、故郷を護りたいとか、『ツバメ飛ぶ』のクイ少女のような仇討ちといった強い思いがない限り、村に留まり住み続けることは困難になっていった。サイゴン政権の指示に従って多くが移住するために村々から出て行った。

物語のクイは一二歳だったが、強制的に売春をさせられたある少女は八歳だった。貧しさのために金持ちの中国人に売られた少女は、一一歳になったとき、その家族や親戚の男性から売春を強要され「人形のように私をもてあそんだの。辛くて……。家族が難民になって国外に脱出することになり、今こそチャンスだと逃げ出したわ」。彼女はその後、女性たちが自立できるように手に技術をつける施設で刺繍を習っている。「両親は私を捨てたの」と言って泣き出した。痩せた小さな身体を震わせて言葉も詰まって話せなくなった彼女の戦争の傷もまた、想像も及ばないほど深い。

こうした女性たちが南ベトナムで推定二〇万人はいただろうとのことだ。アメリカ兵との間に生まれた子どもも多く一万六〇〇〇人くらいと当局は推定した。本人が望めばアメリカへの移住を許可する策を打ち出した。八二年に父親の国へと出発する子どもたちとその母親がホーチミンの空港に溢れるようにいた。彼らが親戚や友だちと泣きながら別れを惜しむ様子を前にして、戦争のもたらすもうひとつの姿が繰り広げられていると感じた。その後アメリカ人となって学校にも通えただろうか。そうした人たちはきっと現在のアメリカとベトナムの友好の架け橋として一役を担うことにもなっているのだろう。そうあってほしいと切に願う。

そして彼らが向かったアメリカにおけるベトナムの影を想うと、そこには心身を病んだ「べトナム帰還兵」が大勢いる。映画や書物でもすでに描かれているように、アメリカ兵だった人たちの悩み深い姿がある。ベトナムの戦場が原因で家族が崩壊した例は多いし、帰還したものの都会では暮らせなくなり森に潜んでしまう人たちも少なくない。そうした一人ひとりの帰還兵は国の戦争のために身を捧げ、多くの仲間が殺されたのを目にしながら、大勢のベトナム人を殺害して生き延びてきた。けれど、平和な祖国に戻っても心の清算はできない。クイのように、戦争が終わると加害者も被害者もない深い闇が広がり、大勢の一人ひとりを溺れさせてしまうことを改めて考えたい。

## ベトナム②　ベトナム戦争の魔の監獄・コンソン島

『ツバメ飛ぶ』の主人公クイが投獄されたコンソン島は戦時中から悪名高かった。フランス統治下のなかで独立を企てる政治犯を収監するために造られた。ナチスの強制収容所もユダヤ人ばかりではなく地下活動の政治犯の収容を目的としたこととと似ている。そうした監獄はベトナム各地に造られた。フランスに続いてアメリカからの自由と独立を獲得したいとただ願った人たちも強固な政治的意図のある人たちも一括りに「政治犯」とされて投獄された。なかでもコンソン島は最も残虐な場所だった。それだけに、解放された人たちに会いたかった。そこで村役場や激戦地だった村々の人に頼んで何とか紹介してもらった。合わせて一〇人以上の人たちを一人ひとり訪ねることができた。

どの人の体験も凄まじいものばかりだった。初めて聞く生々しい話にノートを取る私の手も震え、胸も押しつぶされそうになった。彼らは「思い出したくないから、ふだんは話さないようにしている」「話すと、当時のことを思い出して眠れなくなる」と言った。それを押して、あえて私の前で語ってくれた一人ひとりには、深い感謝の思い以外にない。同時に、話してもらうことを強いた自責の念もじわじわと湧き上がってくる。それだけに、彼らの体験を伝えなければと思う。

話はいずれも息を呑むような凄惨極まるものだった。政治的な宣伝だとの声を耳にしたこともあったけれど、あれらの言葉は決して大げさでも宣伝でもなく、真実の吐露だと今でも固く信じている。そうしたイデオロギーの域をはるかに超えた人道の問題として大きな疑問を持たざるを得ない。平和を回復した現在のベトナムでも「ベトナム戦争（抗米戦争）」は、歴史的な事実として人びとの体験のなかで絶対的な存在感をもつ。聞きながら一人ひとりに心の底からの声を感じた。繰り返さないために、そして戦争の実態をわかって欲しいという信念から辛さを押して話してくれたと思う。『ツバメ飛ぶ』のクイたちの体験も含めて、貴重な証言だと私は思っている。

コンソン島は〝囚人〟の島だから人数が増えるということは収監された人が増えることになる。島が〝囚人〟で溢れかえって戦時中に国際問題になったこともあったという。島はサイゴン警察署の管轄下にあり、兵士もいたが警察幹部の指令下で看守が虐待と拷問を繰り返した。あちらこちらの監獄ですでに拷問を繰り返されて送られて来た人たちが大半だったので、ひどく衰弱していた。そのうえ更なる過酷な虐待と拷問が続いた。日本軍の捕虜に対する考え方は異なり背景も違うため単純に比較することはできないが、人権を無視した扱いだったことを思うにつけ他人事ではない気持ちが私の身体の奥でざわつく。

南北に分断されたベトナムの南を共産主義から守ろうというのがアメリカの大義名分だった

ようだが、それがベトナムの人びとにとって何の役に立つのか……、その意図を疑わざるを得ない。今となってはそのアメリカも中国やロシアなどとの交流を重ねていることを考えると、ベトナム人にしてみればあの熾烈な戦争は何だったのだろうか。あの頃はソ連があったからその代理戦争だった……とも言われるが、二〇年間にもわたって大勢の命を奪い、苦しみを与えたことには違いない。だからこそ、生き残っている人たちの話は大国の思惑やイデオロギーを超えて歴史的事実の証言として貴重だ。

ベンチェ省モオカイ郡はアメリカ軍とサイゴン政権に対して、一九六〇年に一斉蜂起をして、「南ベトナム解放民族戦線」を立ち上げた。これ以降、アメリカ軍は増強されて戦争は泥沼化への一途を辿ることになった。砲弾も枯葉剤ダイオキシンなどの化学兵器も、原爆を除いたあらゆる兵器が次から次へと投入され、緑深い森も消えていった。一九八一年から住むフォンさん（三七歳）は村の診療所で看護師として働いている。こぢんまりした診療所の庭にはバナナ、マンゴー、ライチなど南国の果物が緑豊かな庭先を作っていた。彼女は私を見て、少女のようにはにかんだ笑みを見せて挨拶した。その奥ゆかしさと誠実そうな人柄ゆえに村人の信頼を得ているのだろう。

そうした彼女からは想像もできないが、彼女の父親はサイゴン警察署の幹部だった。母親は特段の政治意識を持たないごく一般的な農民だった。父親を愛して結婚したが、彼はサイゴンで過ごすことが増えていった。やがて、解放勢力の一掃のために兵士らと共に村々を回り次々と村人を脅し、逮捕した。母親はただ見ているしかなく、子どもだったフォンさんにも何もできなかった。やがて父親は出世して、サイゴンに新築家屋を建てて母娘に強く移住をすすめた。「サイゴンには楽な生活がある。きれいな服もある。物資も豊かだし……」と、何度も何度も迎えに来た。母親は彼を愛していたが村から動こうとはしなかった。

フォンさんは「物資にいくら恵まれていても、精神が貧しければ自由とはいえませんから」とその理由を語ってくれた。その後、父親は出世してコンソン島監獄の責任者になった。一方、フォンさんは父親に背を向けて解放民族戦線に入り地下活動を続けた。

コンソン島の虐待や拷問がどれほど酷かったかは『ツバメ飛ぶ』のところでふれたが、実際に私が会った人たちの話の内容も凄まじいものだった。とうてい同じ民族同士の間に起こったこととは思えないものばかりだが、同族だからこそ憎しみが勝るのだろうか……。彼らをそこまで追い詰めた原因は何だったのだろうか。人間の悲しい性《さが》だろうか。

イーさん（四九歳）は結婚して八か月目に夫が北へ行き、その直後に南北が分断されて夫は帰れなくなった。やがて息子が生まれたが、彼が六歳のときに夫は戦死した。「息子にお父さんよと言って夫に息子を抱いてもらいたかった。その素朴な気持ちが怒りに変わり、少しずつ活動家になっていったんです」。一九六六年、彼女は突然、警察署に連行されて警察やサイゴン軍、アメリカ軍の間を回されて「母にも話せない、口にもできない辱め。酷い拷問でした」。やがて他の三六〇人と一緒に「荷物を運ぶかのように」コンソン島に投獄された。

拷問を行うのは主にサイゴン兵や警察所属の看守、アメリカ兵で、「人間扱いは全くされませんでした」と青ざめた表情だ。「彼らにも母や妻子など愛しいひとがいるはずなのに、笑いながら面白がる男たちの顔も姿も決して忘れられません」と小さいが力強い声で語った。彼女の健康状態が回復していないせいもあってか身体を小刻みに震わせていた。なぜ、そこまでして話そうと思ってくれたのか。たぶん、二度と繰り返してほしくないという強い願いからだろう。戦争がイーさんに与えた仕打ちは何のためだったのか。

モンさん（五二歳）はアメリカ軍の大掃討作戦で捕まり、虐待と拷問の嵐だった。「兵士たちに電流の通った熱線を体中に押し付けられ、陰部にも押し当てられたときは酷い激痛と出血で卒倒してしまいました。それでも仲間のことは知らないとひたすら信念を通した。たとえ言ったとしても村に帰されるとは思いませんでしたから」。彼女は戦後、戦争の傷跡を調査してデータを作成する活動をしていた。

ティエットさん（四五歳）が受けた虐待と拷問で最も屈辱的だったのは「生理のときにも何

の配慮もなかったことです。身動きができない狭い檻（通称「虎の檻」）のなかで与えられた僅かな食事の器をひとつ残して生理用に使うしかありませんでした。こうした虐待を受けて解放された後も何らかの婦人病に罹る人が少なくなかったのです」と語った。

彼女がコンソン島に収監されていた六九年頃は三万人以上の〝囚人〟が押し込められていたという。「口を割らせて敵の組織を壊滅させる」ことが目的だったとも言われる。けれど、抑圧されればされるほど反発し、貝のように固く口を閉じた。アメリカ軍とサイゴン政権がかけた時間と労力と金銭の効果は如何ほどだったのだろうか。「自由のために死をも恐れない」との意志で戦い、生き残れた人たちの胸のなかには大勢の殺されてしまった人たちの魂が息づいていたのだろう。肉体も精神もボロボロになりながらも決して彼女たちは口を割ろうとしなかった。その意志はどこから来るのだろうか。ベトナムの民族性なのか、それとも一人ひとりの人間性によるものなのか。考えれば考えるほど、胸に熱いものがこみ上げてくる。

サイゴン政権側にいたハオさん（七三歳）は戦時中、大きなホテルなどを経営する事業家だった。戦後、それらを国の資産にすることに同意したという。当時の資本家の多くが海外に亡命し、難民になるなどして祖国を後にした。ハオさんの話を聞いた後で、彼からコンソン島に収監されていたスンさん（六七歳）を紹介された。真逆の人生を歩んだふたりだが、ハオさんは健康を害したスンさんを何かと助けているという。小柄なスンさんの足の太さは左右で違い、両手も曲がり、白いシャツから肋骨が透けて感じられるほど痩せている。酷い虐待を受けたことが伝わってきた。沖縄戦をかつて取材していたときに、私は体験者に「戦争の話をすると発熱して眠れなくなる」と断られたことがあったので気が向いたら頼みたいと言ってその場を辞した。しばらくしてからスンさんは「話してもいい」との返事をくれた。

――五八年の冬、友だちの家に居たところ突然サイゴン兵たちに捕まって監獄から監獄へと回され、翌年、政治犯が辿り着くコンソン島へ送還された。生きては帰れないと噂されていた通り、拷問と虐待は過酷を極めた。手足は縛られたまま石鹼水を口、鼻、耳から注入され、膨らんだ腹の上に乗って吐かせ……気絶しても繰り返す。指の爪から針を貫通されて一本ずつ口で抜いたことも。「虎の檻」の中では口に鉄棒をくわえさせられ長時間、寝かされたために背中は腐ってしまった。檻の上から石灰の粉を降りかけられたり、冬の寒い日に冷水を浴びせられたりもした。元々、健康体だった人でも生き延びることがやっとできたような状況で、衰弱していた人たちの大半が死んでしまった。

一六年間、ずっとそのような虐待の連続だった。七五年四月三〇日にサイゴン軍が敗北し警察署管轄の看守たちも船やヘリコプターで全員が逃げた。囚われていた人たちは喜んだりホッとしたり、警察署の食料を分け合って食べたり。でも急に力が抜けて、亡くなった人もいた。

収監されていた人たちで健康人はいないと言われるほど、みな障がいを抱えている。そしてみな異口同音、政治犯に対しての扱いは「同じ人間とは思えないほど野蛮極まりない虐待と拷問でした」と繰り返した。同じ民族でありながら、なぜそこまで憎めるのか。なぜそのような残虐行為ができるのか。スンさんの歪んでしまった体形や内臓疾患を思い起こすたびに、人間の魔性がなせる業がこれほどまでの極悪に向かわせるのか……。

スンさんの体験に衝撃を受けた私は、一緒に街を案内してくれていた大柄で陽気なダイさん（六一歳）にそのことを話した。すると、彼もまた同じ体験をしているとの言葉が返ってきて息を呑んだ。これまで何度も会って話もしていたのに全く聞いていなかった。通訳にも尋ねたが知らなかったと驚いた。ダイさんに話を聞かせて欲しいと頼んでみると、「右耳は拷問で聞こえないんです。心臓も悪くなったし……、だから、私があなたの取材を受ける日まで生きていればいいいですよ」と言って大声で笑い、バイクでどこかへ去っていった。彼の友人が「虐待と拷問で身体は滅茶苦茶。入退院を繰り返しています」と教えてくれた。

後日、ダイさん宅を訪ねた。一戸建ての庭にはマンゴーなどの果樹や花々が豊かな雰囲気を醸し出していた。声をかけると奥からダイさんが今まで横になっていたように髪を手でかきあげながら「やあー」と笑顔で現れて、妻のトゥさん（五一歳）を紹介してくれた。彼女は痩せ

ダイさん、トゥさん夫妻、ベトナム

てはいるがまろやかな笑み、小顔の細い眼から星が輝くような光のある魅力的な女性だ。

ふたりは五三年に結婚した後、妻はすぐ戻る予定で北に行ったが翌年に南北が分断されて消息もわからなくなった。翌年、ダイさんは「フランスと戦ったベトミン」だったとの理由で逮捕された。アメリカ軍は同じ理由で次々と大勢を逮捕した。「その拷問もフランス軍以上に厳しく激しく野蛮なものでした」。パリ和平協定の翌年、五八〇〇人が出獄したが、ダイさんのように七五年まで残された人は約一万人、死亡者も多かったから少なくても一万七千人はいただろうとダイさんは推定している。妻のトゥさんは夫に会うためにホーチミン・ルートを越えて南へ向かったが、情報はない。戦争が終わり、ようやく人づてにそれぞれの消息がわかり小高い丘の上で二〇年振りに会えた。

「妻だとわかったとたん、地面に釘付けになり一歩も歩けなく……お互いに見つめ合って、一五分も二〇分も。ふたりはただ涙ばかりで何も言えなくて、胸のなかに二〇年間の歳月が湧き出して、言葉にならず、ただただお互いに泣いてばかりいました」

「夫が獄中の拷問で衰弱していることがわかりました。もし私たちが敗けて解放されなかったら私たち夫婦は二度と会えなかったでしょう」

いとま際、棚に置いてあった白い鳩の陶器を私に渡しながら「白い鳩は平和のシンボル。私たちからあなたの手に、ベトナムから日本に、運んでほしいんです」と、ふたりは柔らかな笑みを浮かべて言った。白い鳩は世界共通の平和の象徴だから、私も誰もが知っていることだ。ただ、凄惨な体験をしたふたりの平和への切望は当然かもしれないが実に奥深い。白い鳩を手にして微笑むふたりを前にして、私は胸がいっぱいになって笑顔は歪むばかりだった。

平和についての無頓着さが横行する現在の状況で、平和のためにとの決意で命を懸けて戦った人びとの思いは胸をうつ。昔話ではなく普遍的だと改めて感じながら、戦争がもたらしたものの深い傷を痛切に考えさせられている。

辛い体験を話してくれた人たちの多くはもうこの世にはいないかもしれない。戦争で死亡あるいは行方不明のベトナム人は推定一〇〇〇万人もいた。サイゴン政権側にいた人たちも含めて生き残れた人たちの二〇〇人くらいには話を聞いたように思うが、今思うと、もっと多くの人に会っておきたかった。心にも身体にも深い傷を受けた一人ひとりの奥深いところから湧き上がるものは何だったのだろうかと私は今も考えている。

人びとが守ろうとしたものは何だったのか。とりわけパルチザンは、祖国？故郷？家族？主義……？　権力……？　……？　だったのか。いえいえ、きっと人間の尊厳ではなかったろうか。尊厳を守るために命を懸けて散った人たちの魂を受け継いで、身も心もボロボロになりながらも地に足をつけて立つことを選んだのだろう。むろん、逃げるが勝ちの人たちなどさまざまだったから「ベトナム人は……」と一色で語ることはできないが、そうした彼らのことを鑑みても、やはりみな一人ひとり凄まじい戦いをしたことに変わりはないと確信する。ベトナム戦争は一九七五年に終わったがこうして深い傷を一人ひとりに残した。現在のベトナムは経済的な発展の道を着々と歩んでいる。その一方で、影はまた濃い。あの凄まじい戦いをしたダイさんやトゥさん夫妻ばかりでなく、私が会って体験を聞かせてもらった多くの人たちが今もなお次世代に語り継いでいるはずだ。第三者を通してでも。小説『ツバメ飛ぶ』が戦後に出版されたように、何十年が経っても人びとの間を本当の平和を願う祈りが飛び続けて欲しいものだ。

一九六〇年に南部メコンデルタ地帯のベンチェ省で蜂起が起こるなり米軍の戦力もさらに増強されて一九七五年の終戦まで南北を合わせて推定八一五万人のベトナム人が戦争で死亡し二〇〇万人が行方不明のままだ。アメリカ兵は五万八二二〇人が戦死した。米国防総省など幾つかのデータで数字に差はあるようだが、ベトナムの国土で人びとの愛する町でも村でも所かまわず激しく熾烈な戦闘が繰り広げられた事実は確かだ。

## 音楽の力① ゲットー（ユダヤ人強制収容所）

映画『戦場のピアニスト』を最近、テレビで見た。主人公はナチス・ドイツ軍に占領されたワルシャワに実在したユダヤ系ポーランド人のピアニスト、ウワディスワフ・シュピルマン（一九一一～二〇〇〇年）。

七五年以上も前に終わった戦争だけれど、体験者たちが僅かでもまだ生存していることやさまざまな形で語り伝えられていることもあって、戦争の記憶を世界が決して失っていないことをこの映画は雄弁に語っている。しかも、私にとっては身近ともいえるテーマだ。なぜなら、一九八六年から度々ポーランドの各地を回って、ナチスのアウシュヴィッツ絶滅収容所やゲットー（ユダヤ人強制収容所）などから生還した人たちに会って話を聞き、写真に記録して歩いてきたからだ。ライフワークの一つでもある（アウシュヴィッツはドイツ語名。ポーランド語ではオシフィエンチム）。

一人ひとりが語ってくれた「生と死」の重さは筆舌に尽くしがたい。なぜ、自分は生き残れたのかについての境界はないに等しいと多くの人たちが語った。

映画でもシュピルマンが閉じ込められていたゲットーでのその様子の凄まじさが如実に描かれている。監督のロマン・ポランスキーも同時期、クラクフのゲットーに収監された体験があるだけに、ふたりの戦争体験が重なり秀作を生んだのだろう。

残酷さの例証には枚挙に暇がないが、ナチス・ドイツ軍の下にあった秘密国家警察（ゲシュタポ）はウクライナ警官とリトアニア警官の「横暴極まりない働き」によって、ユダヤ人の列のなかから無作為に選び出された人たちを皆の前で有無を言わせず銃殺していったという。まるで銃を手にしたゲームのように繰り返された。その恐怖を目にしながら生き延びることができた人たちが、四〇年ほど過ぎた後に訪ねた私に自らの体験として数々の暴虐に対する恐怖を、まるで昨日のことのように語ってくれた。

「ナチスに殴られた瞬間、若い近視の男性の眼鏡が飛び、捜している姿を見てSSマンは笑いながら蹴ったり殴ったり。しばらく遊ぶように痛めつけた後、銃殺した」

「集合させられた列から無作為に次々と指して、群衆の前に出して銃殺していった。自分がなぜそのなかに入らなかったのかわからない。単に運が良かったと言うしかない」

大勢の人たちからこうした恐怖の体験を聞いた。訪ねた彼らのほとんどが当時の話を始める前の雑談には柔らかな表情を見せていても、収容所やゲットーでの話になると次第に顔色が変わっていく。心が落ち込んだ先はあのときの地獄だったのだろうとその変貌を前にして胸を突き刺される思いがした。

スタシャック・レオンさん（一九一五年生）もそうしたひとりだった。彼はゲットーではなく、いきなりドイツのブーヘンバルト強制収容所からやがてアウシュヴィッツに送られた。彼が暮らすワルシャワにあるアパートの部屋を初めて訪ねたのは一九八七年だった。強制収容所での体験は辛いから話さないことにしている。それでも遠来の訪問者だから、と言って書斎と兼用した応接間に案内してくれた。小柄ながら隙のない雰囲気が漂っていた。彼は法律学者だが日本の文化にも興味があると少し微笑んだ。やがて話題が戦時中の重く残酷な体験に及び、話が進むうちに彼はみるみると形相が変わっていった。まるで悪魔にとり憑かれたような、誰か別人と入れ替わったように急変した。同じ男性が私の目の前に座っているとは思えない。それを理解するには、サイコアナリシス（精神分析学）の知識が必要だろう。

スタシャックさんに初めて私がカメラを向けてシャッターを押したのはまさにそのときだった。彼はレンズの前で半ば茫然としたように身動きもしない。あの時代に飲み込まれてしまっていることが一目でわかった。その後、現像したフィルムには彼が精神を侵された別人のような形相で写っていた。しばらくして出版した写真集にも私は掲載しなかった。スタシャックさん本人ではあるけれどアウシュヴィッツの異常さが表れて人間を変えてしまった表情は本人の尊厳にかかわると考えて、今もってどうしても発表する気持ちになれないでいる。

「今、私の目の前のテーブルにはお茶やノートが見えるように、何もかもはっきりとあのときの状況が見えてくる。あなたではなく囚人がそこに座っているように見える。まるで、今があのときになったように……」

彼のその言葉にすべてが込められていると私は思っている。極限の恐怖体験と生き残った者の罪責感ではないだろうか。

「大量の殺害があった。死はまるで兄弟と一緒にいるかのように毎日、見ていた。けれど、自殺者はひとりもいなかった。地獄そのものだったのに。その地獄にも階級があって、いちばん下にユダヤ人がいて、人間以下（ウンテルメンション）と蔑まれていたのです」

今もなおスタシャックさんやその他の一人ひとりが私の記憶に刻み込まれている。それだけに、映画の場面は私が実際に会った人たちの表情や言葉が重なり、動き始めて息が詰まる思いに陥っていった。

一九三九年九月一日、ドイツ軍がポーランドに侵攻して第二次世界大戦の火蓋が切られた。半年後、ワルシャワにゲットーが造られ、一年半後にはユダヤ人四五万人もが押し込められて隔離された。厳しい監視のもとで、人びとは殴られ、虐待され、ゴミのように扱われ、そして絶滅強制収容所に送られて抹殺された。シュピルマンの家族全員も貨車に荷物のように詰め込まれたその時点では皆、何とか生き残れるという希望を持っていた。混乱のなかにあっても多くの顔がそう物語っている。けれど結局、彼の家族は誰も戻ってこなかった。そして四四年八

スタシャック・レオンさん、ポーランド

月一日にワルシャワ蜂起*となり、市内の八割以上が破壊され二〇万人の犠牲者を出しての敗北となった。生き残ることができた人は二〇人ほどでしかなかったようだ。

映画はシュピルマンが一九四六年に執筆した『ある都市の死』が基になっている。長男クリストファーが一一歳のとき、屋根裏部屋の古新聞の束のなかから偶然に見つけ、開くなり夢中で読んだ。そして一九九八年にドイツ語版がドイツで出版され、翌年には英語版が英国で出版され、日本語版は二〇〇〇年。そして二〇〇二年に映画『戦場のピアニスト』として公開された。けれどシュピルマンはあまり喜んではいなかったようだった。

家族のすべてを殺された。貨車に連れ込まれたときの家族の顔が忘れられない。大勢の音楽仲間や友人知人が命を絶たれた。そうしたなかにあって、自分が生き残ったことは納得できない複雑な思いがあり、死ぬまで続いていた。母親が息子のクリストファーに話したことによると、

「あのとき、水が飲みたいのに、飲めなかった。水がなかった。そして死んでいった人がいる……」

水も飲めずに死んでいった人を、悼んでいた。そして、また生き残った自分を責めてい

たという。

『シュピルマンの時計』（クリストファー・W・A・スピルマン、小学館）

生き残ったことがこれほど辛いとは想像もしなかったのだろう。戦後の人生は八八歳で亡くなるまで、心はずっと戦場のなかにいたようだ。

シュピルマンの生きようとする力は強靭だったし、同時に有名なピアニストだから周囲の手助けもあったし、運の良さもあったろう。彼は生き残るための努力は惜しまなかった。何日間も飲まず食わずで、死にそうになりながらも人気がなくなった街で敵に囲まれながら独り必死に生きようとした。大事な指が栄養失調と寒さで痛んでも、音符を忘れないようにピアノの鍵盤を想い描き空想の演奏をやり続けた。音楽の力は宇宙の力と繋がっているように感じずにはいられない。彼はそうした音楽の力の恩恵に浴した希有な存在だったことで命を救われたのだろう。

そして、スタシャック・レオンさんは「私が生き延びられたのは、希望を失わなかったから」と語って続けた。「人間は鋼鉄のように強い神経を持っている。その神経にたえず希望という小川が流れているかぎり、人間は耐えられるものだ」。ふたりとも、生き延びるために必要な強靭な神経を自ら沸き立たせて勝ち取ったのだろう。

映画は見渡す限り破壊されたワルシャワを描く。ポーランド人が命を懸けてナチスに激しく抵抗を繰り広げた真実に迫る。この光景の凄まじさは私に語ってくれた生還者の話そのものでもある。戦時下の写真や資料などとも重なって、恐怖という言葉では言い尽くせない人間のおぞましさに胸をえぐられる思いになった。

映画の撮影場所はワルシャワではなく、ベルリンだという。現在のワルシャワは美しい街並みだ。特に旧市街と呼ぶ一角は昔の写真を見ると中世期の面影を漂わせている。ポーランド人が世界的に活躍した時代と前後してワルシャワは美しく花開いていたのだろう。それだけに、戦争で八割が壊滅し廃墟となった都市を消滅させるのは許せなかった。かつてのレンガひとつ、その欠片をも生かして、人びとは崩壊される以前の姿に再建した。そして、都市の所々にメモリープレートがあって、ここで何人が銃殺された……などの石版の表示がある。街全体を元に戻すエネルギーの強靭さは想像を超えるけれど、ポーランド人にとってあの戦争の意味はそれほど深く凄惨なものだったということだろう。ポーランド人の不屈の精神と国民性がうかがえる。街の真んなかにはワルシャワ蜂起の碑もあり、蠟燭の灯りが絶えることはない。(クラクフも同じような被害に遭い、同じように復元された。)

廃墟と化した都市を監督ポランスキーは屋外セットで再現した。その情景は現在の世界の随所でも起こっている戦場とも重なる切迫感がある。

シュピルマンが逃げ惑った五年間で服はボロボロに破けた。凍死しそうになりながらも彼は破壊された建物に身を潜めて食べものを探していた。ある日、ひとりのドイツ国防軍将校がふいに現れた。


「こんなところで、一体何をしている？」

背の高い、品の良いドイツ人将校が胸の上に腕を組み、台所の食器棚に寄りかかっていた。

「ここで何をしているのかね？」彼は繰り返した。

（『戦場のピアニスト』、ウワディスワフ・シュピルマン、佐藤泰一訳、春秋社刊）


緊迫感が漂う場面で彼はシュピルマンに職業を尋ねた。怯えながら「ピアニスト」だと答えると、ピアノが置かれた部屋へと促され、ピアノを指して言われた。

「何か弾いてくれないか」（前掲書）

将校の物言いは決して命令調ではなく、静かで落ち着き優しさも漂う。ドイツ軍だからユダヤ人と知れば見逃すはずもなく、その場で銃殺するだろうという固定観念が私にはあっただけに、将校の穏やかさは意外でもあった。音の響きが悪くなったピアノを前に、ショパンの曲「バラード第1番ト短調作品23－1」を弾いた。（原作では将校の前で弾いたのはショパンの「夜想曲第20番嬰ハ短調」）

将校は思慮深くじっと聴き入っていた。その様相は平和な日常でのひとりの人間の姿だった。ああ、音楽の力は何と凄いことかと胸が一杯になった。

戦争は終わった。

映画のラストシーンは戦争が終わりシュピルマンはピアニストとして復活し、舞台でショパンの「アンダンテ・スピアナートと華麗なる大ポロネーズ変ホ長調作品22」をにこやかに堂々と演奏して幕となる。

シュピルマンは戦後、ピアニストとして活躍したものの命の恩人の将校ホーゼンフェルトに再会したいと懸命に捜し回ったがかなわなかった。将校はソ連軍に連行されて強制収容所に囚われた。「私はシュピルマンというピアニストを助けた」とホーゼンフェルトは懸命に訴えたがユダヤ人を好ましく思わなかったばかりか、ドイツ軍の侵攻で大打撃を受けたソ連はかつての敵人の言葉を聞き入れようとしなかった。

ショパンの曲が物悲しく響くのは幾重にも織られた物語の展開のせいだろう。監督はその効果を狙った。実際、大勢の人たちが命を蔑ろにされて悲痛な内に虐殺されていったことが音楽を通して効果的に、より深く伝わってくる。日頃、CDなどで聴いているショパンの音色と訪れたワルシャワにある公園の花園で聴いた優しい音色とはだいぶ違って感じられたが、それ以上に『戦場のピアニスト』は胸に応える音色を醸し出す。

音楽の効果は大きい。映画を見ながら私の耳の奥に、取材をした大勢の生々しい声が木魂のように蘇ってきた。スタシャックさんや何人かの囚人だった人たちが「最も辛かったのはボロ雑巾のように扱われたことだった」と語った言葉や表情が画面に重なった。

命を救われたピアニスト・シュピルマンは戦後、演奏活動を再開させることができた。ポーランドに私が足しげく通っていた頃は存命だったから、シュピルマンに対する詳しい知識があったらきっと訪ねたろうに。残念でならない。「運を摑むのも逃がすのも本人の実力」だと常々、思っていたのに。それだけに私にとって『戦場のピアニスト』は重く、深く、意義深い。

＊ワルシャワ蜂起

ワルシャワ蜂起は、一九四四年八月一日から同年一〇月二日、ナチス・ドイツ占領下のワルシャワで起こった武装蜂起である。ソ連軍（赤軍）はヴィスワ川対岸でじっと戦闘を静観していた。そうした結果、市民の死亡者数は二〇万人前後にも及んだと推定され、鎮圧後約七〇万人の住民は町から追放された。戦死者は国内軍が一万五〇〇〇名以上、ドイツ軍が二〇〇〇名ほどになった。ワルシャワの市街地はほぼ破壊され、歴史的建造物や文書といった文化遺産の多くが失われ、再建には長い歳月がかかった。

アウシュヴィッツ、ビルケナウの「死の門」

ワルシャワ蜂起の像

## 音楽の力②　戦場のピアニストを助けたドイツ軍将校

『戦場のピアニスト』で心に残ったことのひとつが、シュピルマンを救ったドイツ国防軍将校の存在だった。彼はソ連軍の捕虜となって強制収容所に囚われ、七年後に病死した。ユダヤ人を助けたドイツ軍の将校がいたとは想像さえしなかった。戦渦にあって希望をともすエピソードだ。いったいどんな人だったのだろうか。

そう思った人は多かったに違いない。やがて、ドイツ人のジャーナリストであるヘルマン・フィンケが強い関心を抱き、遺族を始め関係者を訪ねて話を聞いて歩いた。それによると父親の帰りを待つ五人の子どもたちに妻アンネマリーは「パパが帰ってきたらきっと作家になるわ」と話すほどたくさんの手紙を送っていた。戦時中も丹念に綴っていた日記も合わせて、一冊に編んだのが『「戦場のピアニスト」を救ったドイツ国防軍将校』（高田ゆみ子訳、白水社）だ。

ナチスの大虐殺と凄まじい破壊は人類史上最悪の惨事として記憶されている。歴史的にも決して許されるものではないことは明らか。本を手にしながら少々、言い訳がましいのかなという疑いも頭をもたげた。けれどこの将校の温情がなければシュピルマンの命はなかったこともたしかだ。他に、『シンドラーのリスト』のように大勢のユダヤ人を命がけで助けた人もいたし、日本では杉原千畝《ちうね》もそのひとりだった。そうしたことからドイツ国防軍将校のヴィルム・ホーゼンフェルトを知りたいと私は思った。

彼の行為の理由や動機は何だったのか……おそらく音楽の力によるものだろう。同時に、将校個人の人間性の豊かさや深さもあるに違いない。知性ばかりか敵国ポーランド、しかもユダヤ人を目の前にしながらも（シュピルマンによると）気品に満ちた態度で丁寧な言葉遣いを崩さなかったドイツ軍人。本当にこういう人がいたのかという驚きと疑問もあった。もし、新型コロナ禍でなかったら、私は遺族や関係者たちに会いにドイツへ飛んで行ったかもしれないと思っている。

彼の日記によると一九三三年にヒトラーが権力を握るとすぐに彼を称賛し、翌年には突撃隊に、そして三五年にはナチスに入党させた。けれど彼は、三七年には「党は嘘と歪曲と誹謗中傷によって、ものごとを進めていく。それでも十分でなければ恐怖を煽る」と怒りを綴るものの、三九年八月の手紙には「深刻な予兆はある。しかし戦争が始まるとは思わない。ヒトラーは一度総動員をかけて試そうとしているだけだろう」と最悪の事態にはならないだろうとの希望的観測を述べるけれど、甘すぎた。それでもとにかく彼は期待感を抱く。そして、一九一八年の研修教員から数えると二一年間の教員生活に彼は終止符を打ち、その年の九月、家族を残してドイツ国防軍の将校としてポーランドへの進軍を命じられた。（ドイツ国防軍はナチス軍とは違う徴集をされた組織）（110～113ページのカギカッコ内『「戦場のピアニスト」を救ったド

イツ国防軍将校』からの引用)

ワルシャワでの仕事は、先ず送り込まれてきた一万人の捕虜を収容し囲うための鉄条網造り、機関銃の装備、食料関連の調達などだった。「ポーランド捕虜たちは終日ドイツ軍の堅固な包囲中に閉じ込められ、汚濁と寒気の中で疲労し、腹を空かせている」「あのような扱いは許せない」と日記と手紙に綴る。

日記を読み進めると「日独伊三国同盟」が締結された一九四〇年、「日々、死が若者たちを喰い物にしていく。街は荒廃し、災禍に見舞われている。戦争は新たな犠牲者を産みだす。神は沈黙したままだ。人々の心は硬化し、滅びるがままだ。歴史は、憎しみと大いなる苦しみが渦巻く場となってしまった。それは人間が自らもたらしたものだ」と記し、ワルシャワの無名戦士の墓碑も訪ね、ポーランド人の苦悩に思いを寄せる。むろん、祖国ドイツの勝利を望んではいるのだが。

一九四二年七月のワルシャワ日記と妻への手紙で彼はユダヤ人の連行や大虐殺について、次のように綴っている。

「恐怖があらゆる場所を支配している。威嚇、暴力、逮捕、連行、銃殺。もう日常茶飯事だ。個人の自由はおろか、人間の命すら、ないがしろにされている。(略)ユダヤ住民の殺戮という大罪を犯している我々は、やがてしっぺ返しを受けることになるだろう」

ワルシャワ・ゲットー、当時のままの壁

「穴があったらはいりたい。それほど恥ずかしい。これはとてつもない殺人行為だ。こんな犯罪を容認する責任者は、いったい正気なのか？　人間の姿をした悪魔だ。疑う余地はないと私は思う」

「ワルシャワのゲットーも近々閉鎖される。五〇万人の人々（筆者注／ユダヤ人）が、どこかへ連れていかれようとしている。ヒムラーもここへやってきたらしい。ドイツ人として、よく恥ずかしくないものだ」

トレブリンカ強制収容所に連行されたユダヤ人のなかにシュピルマンの家族や友人たちもいた。

将校の妻アンネマリーから夫に宛てた手紙にはこう書かれている。

「衝撃を受けました。政府がひとにぎりの人物に支配されたらこうなるという例でしょう」

彼女は当初からヒトラー政権を批判していた。

日記と手紙に綴られた真実性の重みから目がそらせないまま、引き込まれていく。ホーゼンフェルトは日記帳に反体制の意見や上層部を批判する言葉を堂々と綴っている。あの戦時下で、日本軍は批判の声に神経を尖らせて厳しく対処していたようだが、ナチス下での不安はなかったのだろうか……。否、あっただろうが、それが彼の生き方だったし、レジスタンスでもあったのだろう。

シュピルマンは一九四三年二月にゲットーを脱出し市内に隠れ住んだ。その二か月後、ワルシャワ・ゲットー蜂起となったが、ほぼ一か月後にドイツ軍に鎮圧された。ゲットーは完全な廃墟と化して、記録によると生き残れた人は数えるくらいでしかなかった。

翌年の一九四四年八月初旬のワルシャワでは市民が赤軍（ソ連軍）を援軍と期待してワルシャワ蜂起に踏み切った。けれどソ連軍はヴィスワ川の対岸に留まり微動だにしなかった。「赤軍に見捨てられた」という失望は大きく、人びとのその恨みは近年まで続いていたことを彼の地を訪ねたときに聞いた。むろん、ナチスによる報復や弾圧は途轍もなく強大で、都市の八割が破壊され、市民の八〇万人以上が命を奪われた。

一九八六年にポーランドを取材に訪れたとき、私はワルシャワ・ゲットー蜂起から生還した男性を訪ねることができた。ウッヂで医師として暮らしているエデルマン・マーレックさん（一九一九年生）だ。彼は私にゆっくりとしかし力強く、次のように語ってくれた。彼の話は今も私の胸に突き刺さっている。

「私たちは武器もなくなり、地下水道へ逃げ、やっと六〇人くらいが生き残って外へ出られた。その後、私たちはパルチザンの戦いやワルシャワ蜂起などに参加して五〇人が死に、戦後生き

エデルマン・マーレックさん、ポーランド

残れた一〇人の内、現在は女性四人を含めて五、六人だ。多くがカナダ、アメリカ、イスラエルへと去った。ポーランドに留まっているのは私だけだ。当時の痕跡を残す努力は、義務だと思っているからだ。次の世代に、語り伝えることが不可欠だ。

強大なドイツ軍を相手に最初から勝利は考えられなかった。ただ、死ぬ方法だけだった。希望はなかったが、痕跡を残したかった。人間性を保ちたかったからだ。人間の尊厳を守り、生きる権利を持っているのだと主張することだった」

ポーランドでは多くのユダヤ人が何とか生き延びることができた。けれど、戦後、ユダヤ人排斥運動が起こり、ポーランドから脱出していった。あれだけ苦労したのに、なんということだ！　と、私は怒りのような情けないような気分になった。絶滅強制収容所のガス室を生き延びたユダヤ人もいたらしいし、戦火をようやく生き延びられた人たちも、故郷ポーランドを去った。

ワルシャワで生き続けることを決心した画家のエルナさんと文学者のアルトールさん夫妻もユダヤ人排斥の嵐に遭った。ふたりともゲットーに囚われたが辛うじて生き延びられた。「私たちはポーランドが故郷。両親も殺され、戦争であれだけの危険と苦労をしたのだからここで生涯を終えたいと思っています。でも、排斥は辛かったし、悲しかったですね」とエルナさんはぽつりぽつりと話した。アルトールさんは「ルブフのゲットーに七五〇〇人が収容され、生き残ったのは二七〇人でしかなく、そのひとりになったのは運でしかない」と、際どいなかを生き残れたことに感謝し、祖国を去る気にはなれなかったと繰り返した。

ゲットーの闘いは直接に戦った人も隠れることで闘った人も、ドイツ軍に負けるとわかっていながらの戦いだった。エデルマンと、シュピルマンに交流があったかはわからないが、双方とも違った形で必死に戦い生き延びたことは確かだろう。そしてドイツ国防軍将校のホーゼンフェルトもまたその枠のなかで闘っていたとも言えるだろう。


将校がシュピルマンと出会ったのは、一九四四年一一月中旬だった。仲間のドイツ軍らに見つからないようにと、将校は奥まった屋根裏部屋に彼を案内し、度々、食べ物や毛布をシュピルマンに届けた。凍てつくような冷え込みに襲われながらもその援助があって生き長らえた。そして一二月一二日、将校はいつもより多めの食料と毛布、それに本人が着ていた軍用コートを差し入れした。ほぼ一か月間、シュピルマンはドイツ国防軍将校に支えられるようにして過ごした。その辺りをホーゼンフェルトは日記に記していない。お互いの安全のためだと考えたのだろうか。それとも少しの後ろめたさもあったのだろうか。ただ人間として当然のことをしたのだと思ったのかもしれない。

ドイツ軍は敗けた。一九四五年一月一六日夜、ホーゼンフェルト将校は二〇〇人の部隊を引き連れて陣地を後にして西方に向かったが、翌日、ソ連軍に包囲されて捕虜となった。六月一三日、ミンスクのソ連秘密警察で尋問を受けた後、移動させられた。彼は必死に何人ものポーランド市民やユダヤ人を助けたと訴えたが、全く聞く耳を持たれなかった。ソ連にとってドイツ軍は敵であり、ポーランド人は蔑視の対象でもあった。たとえば、長らく真相を表にしなかったカチンの森事件でも四〇〇〇人ものポーランド人将校が殺害され埋められた。その被害者のなかに映画監督アンジェイ・ワイダさんの父親も含まれていた。ワルシャワで彼を訪ねたときに、その事件を語ってくれた。スモレンスクの地域周辺ではポーランド人やウクライナ人などの捕虜たち二万一八五七人が殺害されて埋められた（一九九二年ロシア当局発表）。

戦争のおぞましさを衝きつけられる。それだけに、書籍からうかがえるホーゼンフェルトとシュピルマンの出会いと交流には心をうたれるものがある。

映画ではシュピルマンはボロ服をまとい、いかにもみすぼらしく弱々しい。この餓死寸前のユダヤ人男性を目にした将校の最初の一言は実に人間的だ。

「こんなところで、一体何をしている？」

平常時なら当たり前の言葉遣いだ。けれど、怒号が飛び交い殺害が繰り返される異常な戦場。

ユダヤ人は抹殺命令の対象でしかない日常で、将校は丁寧だった。シュピルマンは怯えながらも尋ねた。

「貴方はドイツ人ですか？」と。

するど「そうだ、その通りだ。恥ずかしいことだ。こんなことばかりが起こってはな」頬を紅潮させて答えた。

夕闇が迫る頃、私が隠れているロフトの下からささやく声。

「きみ、いるか？」

「はい、ここに」

すると、重たいものが私の脇にどすんと置かれた。食料だった。

ドイツ国防軍ホーゼンフェルト将校の自責の念は消えなかったのだろう。彼は悩み苦しみ続け、何回かの脳卒中にも襲われた。心の病にも陥り、精神が崩れ果てた状態でもあったという。それでも、彼はソ連の戦犯捕虜収容所で毎月一回だけ許されていたハガキを、毎月のようにドイツで暮らす妻と子ども宛てに送っていた。最後の手紙は一九五二年六月二五日

「子どもたちみんなによろしく伝えてくれ。（略）頭痛はおさまった。（略）親戚にもよろしく

伝えて欲しい。私のことは心配しないでくれ。なんとかやっている。みんなに心からの挨拶を送る」(『「戦場のピアニスト」を救ったドイツ国防軍将校』ヘルマン・フィンク著)。ここまでは捕虜の手を借りた代筆で、最後にぎこちなく震える文字で、「君たちのヴィルム」と自筆のサインがある。彼は八月一三日に息を引き取った。五七歳だった。

彼に救われて生き延びたシュピルマンは戦後、ピアニストとして復帰したものの、命の恩人である将校が捕虜となったことを聞いて捜し回った。ホーゼンフェルトが妻アンネマリーに宛てたハガキでソ連の収容所に収監されていることを知り、ポーランド当局にも掛け合った。が、ソ連は聞く耳をもたなかったと担当官から返ってきた。

シュピルマンは生還し、戦後の復興のなかでピアニストとして華やかに活動し、新しい家族も持ち、順風満帆のようだった。けれど、実は一生涯、戦争の傷である心的外傷《トラウマ》(PTSD/Post Traumatic Stress Disorder)に彼は苦しめられた。戦争は終わっても終わらないことを、ここでも衝きつけられる。そして、加害者はやがて罪責感に見舞われて被害者のようになり、さらに苦しむことになるのが戦争だと改めて痛感させられる。

ポーランド、教会の中

## カンボジア〜心に潜む魔性

自宅の簞笥には色とりどりの布が詰まっている。それらは取材に出かけた地で私が買い求めたものや地元の人たちから贈られたものだ。東南アジア、中央アジア、ヨーロッパ、アフリカなどあちらこちらそれぞれの土地の色彩にあふれているばかりか、引き出しから一つひとつの想い出と一緒に独特の文化も飛び出してくる。加えて微かに当地の香りも漂う。たくさんの布のなかで半分ほどを占めているのがカンボジアのものだ。カンボジアの女性が愛用する巻きスカートはサンポットといい普段着は木綿地、よそゆきは絹地で作られている。とりわけ手織りの絣《かすり》絹地は特有の光沢と色彩が混じりあいシックで飽きがこない。彼女たちの美しい姿にあやかりたくて、私も市場などでサンポット用の絹地を買い求めては現地でスカートやブラウス、小袋などに仕立ててもらった。

こうして、若き日の私を飾ってくれた数々の服が簞笥に並んでいる。そのなかに他とは違う一枚がある。着物の上っ張りだ。これは広島の女性が仕立ててくれた。次章で触れる（144ページ）清水ツルコさん。彼女は若い頃から着物の仕立てが得意だった。その技術を生かして、原爆で大火傷を負いながらも幼い息子と小学生の弟を育てるために夜なべをして縫った。戦後の復興で着物の需要も徐々に増えていったこともあって、女手ひとつでふたりを自立させた。彼女を「広島のお母さん」と呼び、一九九六年に八五歳で亡くなるまで付き合いが続いた。

ツルコさんの孫が結婚することになって三世帯での同居には手狭になり、被爆後も住み続けた広島市竹屋町《たけやちょう》（爆心地一・五㎞）から郊外に引っ越しすることになった。気丈夫なツルコさんが泣きながら近所の人たちに別れを告げている姿にはさすがに胸を打たれた。息子の家族とは同居だけれど近所には知人もいない地での日々は孤独感に見舞われないか、身体を壊さないかと心配になり、時々、訪ねた。電話で予め伝えてあったものの、玄関を開けると目の前の板間に正座しスリッパを揃えて私が着くのを待っていてくれた。真新しい家のせいか、一回りほど小さく感じる「広島のお母さん」が満面の笑みで迎えてくれるたびに懐かしさと感動で目頭が熱くなった。

ある日、ツルコさんにカンボジアのサンポット生地の話をすると、じっと聞いていてふとこう言った。「その生地で上っ張りを作りましょうか」

上っ張りは着物にはむろんだけれどジーンズにも似合うと思ったので申し出に私は甘えることにした。その後に訪ねたとき、赤と紫の縦横糸に黄色系などで蝶柄をあしらった絣織りの絹地を持参してお願いした。今でもその上っ張りは私の宝物であり、魔法の杖のようにもなっている。気持ちが萎えてくじけそうになると箪笥の引き出しから手に取ってしばし眺めては羽織って、元気や勇気をもらい慰められてもいる。ツルコさんの優しさが籠もった不思議なパワーを実感しながら、カンボジアの女性たちの生きる力に思いを馳せる。単に生きる力というよりは起き上がる力、這い上がる力と言った方が相応しいかもしれない。

それは……、カンボジアの人たちは四年間（一九七五年四月〜一九七九年一月のポル・ポト政権時代）にもわたってあらゆる色彩を禁止されていた。花もご法度だったから真っ赤な花の火炎樹は強制的に移住させられた先にあるとことごとく伐採されたし、野の花さえも人びとは根こそぎ切り捨てさせられた。（住民が居なくなったプノンペンでは伐採の必要がなく、花が道路に散ったままになっていて、不気味な感じだったと聞いた）。「花は人の心を惑わす」と同政権は禁じたと話すときの人びとの表情はまだ闇のなかを漂っているように感じられた。

ツルコさんは私の話をじっと聞きながら下を向いていたが、ふと顔をあげて「地獄のようなものだったのでしょうね。あの八月六日もそうでしたが……」と、沈んだ声で言った。彼女の眼は潤み恐怖の影が漂っていた。原爆投下から以降の記憶と傷跡はまざまざとツルコさんの心身で生きていた。「忘れたい。でも忘れたことはない」と彼女はかつて私に語っていた。ヒロシマとカンボジアが彼女たちの表情を通して私のなかで繋がっていることを実感した。

併せて思い出すのは色彩が徐々に戻り始めた一九八一年、歩いていた村で耳に届いた機織りの音だ。コットン、コットン……と、どこからか聞こえてきた。驚いて路地のあちらこちらを早足で探し回った。あった。低い樹木の垣根の先にある草ぶき屋根の簡単な家の庭先で痩せた女性が機織り機の前にかがみ込むようにして織っていた。織り機は手作りの実に素朴なものだ。「村のほとんどの人が強制移住させられて、ようやく戻ってきたものの家々はすべて破壊されていたのでどこが自分の家か誰もわからなくて。ただ道の形や樹木などでここだと思いました」

彼女は糸を操っていた手を休めてそう話した後、機織りについてこうも語った。「四年間で織り方をすっかり忘れたんです。経験ゆたかな年配の女性も集まって、こうして糸を操った、こうして織った、と少しずつ思い出して、ようやく織れるように。男性たちも思い出しながらやっと織り機を作ってくれました」。忘れてしまうような年月ではないが、恐怖がそうさせたのだろう。恋の歌も禁止され、密かに歌った若い女性が処刑されるなどの恐怖の日々だった。長年、当たり前のように身についた機織りさえも忘れさせる強い力が一人ひとりの心に働きかけたのだろうか。

彼女たちが故郷に戻れたのは一九八〇年だったという。村人の数も激減して、かつて三〇〇〇人だったが八一年五月には四〇〇人になった。隣国タイなどへ難民として逃れた人もいただろうが、驚くばかりの減少だ。タケオ州のこの村だけのことではなく、全土で人口が減ったことは事実だ。この嵐のような暗黒の時代に色彩も尊い生命とともに消されたのだった。カンボジアのクメール民族はインドやインドネシア方面の影響を受けて鮮やかな色彩を好んできた。

それが文化となって人びとの暮らしのなかで息づいていった。青空と強い太陽光の下で輝く華やかな色彩はクメール文化ならではの魅力だ。それを禁止したということはまさに文化大革命に匹敵する。

色彩の禁止から解放されるや否や、街の看板には鮮やかなペンキ絵が現れて、訪れるたびにその色彩量が増えていき、市場にも絹絣織りの布地が目に付くようになった。市場や店を訪れ気に入った布を見つけては織られた場所を店員に尋ねた。タケオ州の村でのあの感動が続いていたからだ。地域によって異なる柄の特徴などにも興味を抱きながら、二〇年間余りはサンポットの絹地の変化にこだわり続けた。少しずつ変わっていく織り方や柄に織り手の技術の進歩や進化も伝わってきた。粗かった模様も次第に細かくなり、折々の流行も生まれた。そうしたクメール女性の伝統的な装いの絹地のサンポットを目にしながら、私はカンボジアの人びとの暮らしの復興を重ねた。たしかに去年よりも今年の方が繊細で素晴らしいと訪れるたびに感じられるのは嬉しかったし幸せな気分でもあった。

清水ツルコさんが「戦後の復興によって着物の注文が増えて暮らしが楽になっていった」と話していたように、カンボジアにも自由が戻り、外国人も訪れるようになって経済が回り始めたことで女性たちも絹地のサンポットを二枚、三枚と買えるようになった。結婚式に参列するとその鮮やかさに目が眩《くら》みそうにもなった。当初から人びとは「真なる平和」を口にしていたが、あれからほぼ四〇年が過ぎた。プノンペンには高級ホテルやマンション、そして目抜き通りにはブランド店が建ち並び、きらびやかな衣装の人や車もぐんと増えた。ここがあの色彩のない閑散とした街だったのかと戸惑うほどの復興だ。タイや中国からの投資もかなり多い。その一方で、貧富の格差はさらに拡がったようだ……。

カンボジアを初めて訪れたのは一九六六年だった。アメリカ軍によるベトナム戦争が激化していた頃で、日本人の大学生八人の一員として私もベトナム戦争を一刻も早く終わらせて欲しいという思いで現地へと向かった。そのときのベトナムについては先に触れたが、私たちはその足でカンボジアへと回った。カンボジアの平穏な日常は「東南アジアのオアシス」そのものだったが、若者や学生たちは「国境の辺りは隣国の火の粉が飛んできているため危険な状況になりつつある」と不安な声を上げていた。ゆったりとしたカンボジア人の様子は戦火にあえぐベトナムとは正反対だったし、街は穏やかだったのでにわかには信じられないまま、首都プノンペンからアンコール遺跡などのある西の方へと向かった。

国境からの不穏な事態は徐々に広がって、四年後にはアメリカ軍の支援によるクーデターが起こり、パリに外遊中だったシアヌーク殿下は北朝鮮のピョンヤンへと亡命した。そして五年後の一九七五年四月、カンボジア戦争は終わり、間もなくベトナム戦争も終結してアメリカ軍はインドシナから敗退した。人びとはようやく平穏な暮らしができると喜んだ。が、その直後から平和とは真逆の地獄がカンボジアで始まったのだった。

アメリカ軍と森のなかで戦っていた「勝者」は国民を攪拌するように東西南北に強制移動させた。国民を概ね二分してポル・ポト派側の人たちを「旧人民」と呼び、そうでない人たちを「新人民」として弾圧や殺害の対象とした。新人民は親子も夫婦も兄弟も同じ家に住むことができず（地域によって異なるが）、人間の地縁血縁を攪拌するように引き裂かれ、会うこともめったに許されなかった。まるで嘘のように〝国民の作り変え〟実験がほぼ四年間にわたって実施された。飢餓状態での強制労働は苦しく、強制収容所のようだった。そうした事態は中国の文化大革命による影響が強く、大陸から多くの中国人がカンボジアに住み始めていたことによってもたらされたと考えられる。文革は一九七七年には終結宣言がなされたが、文革推進派によって中国では果たせなかった当事者たちの理想的な国造りをカンボジアで実現させたかったのではないかと当時は聞いていた。その四年間を一般的には「ポル・ポト政権時代」と呼んでいる。こうした政治の渦に巻き込まれたカンボジアの人びとにとって、この時代は恐怖に満ちた地獄のような日々だったといっても過言ではないだろう。

人差し指と親指で作った小さな輪の中に、腕の付け根まで入ってしまうほど痩せた大人や子供たち。

こけ落ちた頬。目だけが不釣り合いに大きい。乾いた肌と対照的に潤んだ瞳は、闇の中を凝視するように見開いたまま。口もとは言葉を忘れたかのように重く閉じ続ける。割り箸のような細い指がかすかに動いた。顔にたかる無数のハエを追い払おうとする。……だれもかれもが餓死寸前のように痩せて、しかも何かにひどく脅えていた。

（拙著『女の国になったカンボジア』潮出版社一九八〇年、講談社文庫一九八四年）


その当時は「戦争による難民」だと報じられていたけれど、私には「戦争」とは違う異様な「地獄」があったのではないかと思われた。それは一九八〇年一月、バンコクからタイのカンボジア国境へと向かって、難民キャンプと周辺の原野に潜んでいたカンボジア人と最初に出会った時の印象による。今もなおそのときに目にした人びとの表情は脳裏に焼き付いて離れない。

タイの国境を何度か訪れて歩き回ったものの、あの四年間にカンボジアで何が起こっていたのか私には疑問が増すばかりだった。それを突き止めたいために日本赤十字社を通してプノンペン政権に手紙を託し、またジャーナリスト経由で別の手紙を託し……といった結果、ようやく一九八〇年七月五日にプノンペン政権から入国許可の電報が届いた。電報とは妙なことだが、当時の日本政府はポル・ポト政権とは交流を持ち続けていたものの、プノンペンの新政権を認めていなかったから国交がなかった。従来の入国手続きは双方の外務省を通すが、この段階では通用しなかった。（むろん、現在は国交が樹立されたので通常の方法での交流が行われている。）

電報を握りしめて私はバンコクへ飛び、国際赤十字の救援機でバンコクからプノンペンへ向かった。機内は援助物資が山のように積み上げられている。少ない円形の小窓に背を向けるように取り付けられた簡素な椅子に腰を掛けて安全ベルトを締めて、ふと前を見ると膝から先は天井まで物資ばかり。驚きつつもこれがみな人びとの元に届くのかと思うと少し嬉しい気持ちにもなった。

閑散としたプノンペンの空港では外務省の青年チュレインさん（二九歳）がビーチサンダルに黒っぽいズボンと白いワイシャツ姿で出迎えてくれていた。痩せた彼の口元に笑みはあったが、難民キャンプで会った人びとに似た暗い目をしていた。彼は滞在中の私の通訳として行動を共にする役目と、新政権の役人だから外国人である私の監視役も担っていたろう。けれど私はあまり気にしなかった。カンボジアに入国した目的は新政権に対する政治的な関心ではなく、ポル・ポト政権時代に何が起こったのかを知りたいことだった。なぜ人びとはあのように痩せこけ、恐怖を滲ませた表情を浮かべ、暗く闇を見つめるような目をしているのか……といったことこそ取材の目的だった。当時の国際社会、とりわけ日本国内では中国と密接な関係にあったポル・ポト政権を追放したベトナムは許しがたい、それは背後にソ連（当時）がいるのだから……といった声が主流だったので、私もイデオロギーによる政争に巻き込まれかねなかった。

翌日、取材の後で夕食をとるために通訳のチュレインさんと運転手のサリーさんと私の三人で小さなレストランに入った。ふたりとも一九七九年一月の解放後にレストランに入るのは初めてだと言いながら、ポル・ポト時代の話をした。強制収容された地（サハコー）では「水牛のように朝から夜まで強制労働」をさせられ、少しでも怠けたり、道具に傷をつけたりすると暴力の襲撃を受け殺害も少なくなかった。だれもが「食べたい」「眠りたい」「逃げたい」と考えていたが、同政権の監視人の目は厳しく、監獄さながらの深いジャングルだったので逃亡に成功できた人はごく稀だったとふたりは口々に話した。

難民キャンプで聞いた人たちの話とふたりから聞くことに何ら齟齬はない。大勢の人びとから体験を聞きたいと申し出て向かった強制収容の地（サハコー）は、プノンペン近郊から東西南北に広がっていた。村々を訪ねれば、そこにはまだ生々しく当時の姿や残骸、何よりも体験者の声が数限りなく残っていた。

どこを訪ねても女性が男性よりもかなり多いことを不思議に思った。理由を尋ねると「男だというだけで殺された」からとのことだった。最初に取材した一九八〇年から四～五年間は日本でも私に対して、「嘘でしょう? 騙されているんじゃないか?」とよく言われた。あれから四〇年ほどを経た今日においては、当時のカンボジアで何が起こっていたのかについての事実は多くの報道や情報によって伝わり疑いの言葉を向けられることはない。

すでに、ポル・ポト時代の残虐さや大虐殺はもはや史実の一ページとなった。ナチスのアウシュヴィッツ強制収容所や旧ソ連のシベリア収容所などと並んで世界史に刻まれている。ポル・ポト政権の残虐の痕跡や地獄からたった今しがた戻ってきた……と言わんばかりの人びとの闇のような表情や生々しい言葉は、私にとってつい最近の取材体験だったようなリアリティがまだ色濃く残っている。

当事者たちの心中はいかばかりだろうか。今も夢にうなされるとよく耳にする。ポル・ポト時代さえなければ家族が揃って日々を送れたろうし、身体を悪くすることもなかったろう、ましてやこんな貧困に喘ぐこともなかったろう……などと、一〇年ほど前に訪ねて歩いたときにも、多くの人たちが切々と訴えていた。一方では若い人や子どもたちはあの時代のことをほとんど知らない。学校でも家庭でも教えられてこなかったからだ。日本でも、アメリカと戦争をしたことを知らない若者が少なくない。老いの域に入った人たちは「知らないの？　まさか！」と絶句する。それと、同じように東南アジアのオアシスと呼ばれたカンボジア（人口は当時七～八〇〇万）でもポル・ポト政権が同胞のカンボジア人を一五〇～二〇〇万人も殺害したとは信じがたい。（カンボジアではようやく歴史的な事実を学び始めたようだ。実は日本でも、実際に戦争体験した人たちが皆無になる。そのとき、戦争をどう語り継ぐかは重要な課題だ……と作家・評論家の故半藤一利氏らが提言している）。

大量虐殺はたしかに事実として存在していた。人数は膨大であって正確な数字は見方や考え方などによって異なるが、村々を回るなかで大小さまざまな虐殺現場（キリング・フィールド）に行きあい、それぞれの土から掘り起こされた遺骨は夥《おびただ》しい量だった。この目で見て、カメラで撮影したそれらの写真は四〇年を経てもゾッとするほどおぞましい。生々しく、一人ひとりの遺骨を見ながら、どんな思いで殺されていっただろうか、殺されたくはなかったろうに……と今でも胸が苦しくなる。

実際、現場では埋められた穴から掘り起こされていたから異臭を放っていた。何度も嘔吐に襲われそうになりながらカメラを構えた。クロマーと呼ぶ（スカーフや風呂敷、タオルなどにも使う）布で目隠しされた遺骨、髪の毛がこびり付いた頭蓋骨、両手を縛られた状態などが掘

カンボジア

虐殺の犠牲者の遺骨を掘り出す、カンボジア

り起こされて穴の周りに並べられていた。にわかには信じがたい光景だった。実際、日本で私の写真を見たいわゆる知識人たちは「プラスチックではないか」「ベトナム戦争での頭蓋骨などを運んできて並べたのじゃないか」などとさえ言っていた。たしかに信じがたい残酷さだったが、カンボジアの人びとの嘆きや苦悩を推し量ろうという気持ちは露とも感じられない。実態を無視したこうした言葉に想像力も思いやりも持たないまるで「極楽とんぼ」だと思わざるを得ない気持ちになった。

カンボジアの人びとの姿はフィルムばかりか私の脳裏にも色濃く焼き付いている。同じ民族に、なぜこれほどの大量殺戮ができたのか。人びとの話を聞きながら感じたのは、ひとつの原因は抑圧する側（ポル・ポト政権）の監視体制にもあったのではなかったか。さらに、集団が閉鎖的になったときに起こる暴力の連鎖かもしれない。ピラミッドのように全員が常に上からあるいは横から監視されていたため、人びとに同情心を持とうものなら「敵に甘いのは同類の敵」と決めつけられて自分の命も危険にさらされた。ポル・ポト時代の幹部だった人たちに話を聞いたが「自分が殺されないために殺し続けるしかなかった」と、異口同音に語った。それほど殺害したらカンボジア人は消滅してしまうだろうに……との趣旨のことを問いかけると「それでも自分が殺されるよりはましだった」と誰もが答えた。殺害が日常的だったということなのだろうか。

ポル・ポト時代の組織構成の特徴は中国の文革時代をほとんどそのまま取り入れていた。幹部要員（オンカー）の構成にも殺害をエスカレートさせる恐怖の仕組みがあった。それでも、人びとはなぜおとなしく連行されて殺されたのだろう。抵抗した人はごく僅かだったらしい。カンボジアの少数民族でもあるチャム人は抵抗したがために、チャム人だと言うだけでほぼ六〜七割が殺害されたといわれる。現在は新生児や国外から戻るなどして人数も増えたが一時は存続が危ぶまれていた。それでもポル・ポト政権に対して記録に残るほどの大きい反乱や抵抗はなかった。（一九七九年初頭、現政権はポル・ポト政権への抵抗勢力にベトナム軍が合流した結果に誕生した。）

何の抵抗もしないで従わざるを得なかったことについて、私のぶしつけな問いに大勢の人たちが答えてくれたことをまとめると次のようになる。

「暗くなってからやってきたオンカーが優しい猫なで声で『お宅のご主人の知恵を借りたいので、事務所まで来てくれませんか』と言った。不安だったがオンカーの態度は穏やかだったので夫は戻ってくると思った」

連行された多くが男性だった。

「逃げることもできませんでした。オンカーが訪ねてくると、ああ、噂のように殺されるのかと感じても、隣の人たちもいたので、まさかと思うことにした」

そう話してくれた人たちの家族は誰も戻らなかった。「優しい言い方」「隣人も同じように」という言葉は私たちの日常にもいくらでも存在している。不安を押しのけようと思い込みや希望的な観測が膨らむが、最後は「まさか」に繋がる。取り返しがつかない状況になっても「まさか」「ま、大丈夫だろう」が常に勝ってしまう被害者が必ず陥るこの思考回路は、戦時中ばかりか、新型コロナウイルスに襲われた現在の私たちの社会においても、大なり小なり何らかの形で体験しているのではないだろうか。遠い地の人びとの話では済まされないと思えてならない。

人びとの話は印象的だったが、とりわけプレイダムレイという小さな村の人たちの話は今も忘れがたい。独りになったタオさん（七二歳）。彼の妻は一九七〇年から始まった「カンボジア戦争」でアメリカ軍の爆撃で亡くなって、息子の家族（四人）とともに暮らしていたがポル・ポト時代になって一か月後、ロンノル軍人だった息子は夜に連行されて戻ってこなかった。そのとき、元軍人七人が息子と一緒だった。しばらくして、嫁は開拓地に住むよう命じられた。七八年八月、夜の九時ごろに副郡長がやってきて、孫娘ふたり（一五歳と八歳）に向かって鋭い目で言った。「お母さんが待っているから、私と一緒に来なさい」。タオさんは殺されると思い「孫は私が育てるから、このままでいい」と言ったが聞き入れられず「それでは、妹だけでも私に預からせてほしい」と頼んだ。「だめだ。上層部の命令で変えられない」。孫たちは自分が殺されると知っていたようで、泣いて祖父の顔を見ながら連行されて行き、戻ってこなかった。タオさんの体験は一九七〇年から続いた暴風のような歳月を象徴している。（ロンノル政権の関係者は家族も含めてほぼ全員が粛清されたという。）

同じ村で会った農民のナンさん（三〇歳）はスバイリエン州から一九七五年四月の強制移動で着くなり、「夫はCIAのスパイと決めつけられて殺されました。とんでもない、ただの農民でした」。夫は後ろ手に縛られ、乱暴にこづかれた。怯えながらも夫は振り返って「私は行ってしまう。留守の間、子どもをしっかり守り、健康に気を付けて暮らすんだよ」と妻に言った。夫を見送るために外へ出ると一〇人くらいの男性たちが縛られて、一緒に連行されていった。

一〇日後、彼女は夫たちが殺されたことを目撃者から聞いた。そしてふたりの息子（一二歳、一〇歳）も母親から無理やり引き離されて一〇㎞離れた「子どもたちの寮」に入所させられた。子ども二〇〇人のうちオンカーの子ども五〇人を除いた新人民の子ども一五〇人は衰弱し切っていた。「おかあさん、オンカーの子どもはたくさん食べられるのに、どうして僕たちは重湯だけなの？　お腹が空いてたまらない。どうしたらお腹が空いたことを感じなくなるだろう……？　早朝から夜まで働かされ、オンカーの子どもにとてもいじめられる。おかあさん、どうして僕たちはこんな辛い目にあうの？」と、息子たちは母親の黒い上着を摑みながら訴えた。以前から痩せてはいたが、恐ろしいほど痩せて顔色は病人のように悪く、精神的な圧迫のひどさに彼女は驚き悲しんだ。一〇日ほどして、息子たち新人民の子どもがみな殺害されたことを母は知った。息子の「どうしたらオンカーの子どもと同じようになれるの？」と別れ際に母の顔を覗き込むようにして訴えた顔が今も瞼に焼き付いて辛いと彼女は大粒の涙を流した。

タイ国境の難民キャンプで会ったカンボジアの人びとの強烈な印象は悪夢だったと思いたかった。けれど国内を取材すればするほど本当だ……いえ、それ以上だ……と確信せざるを得なかった。同時に知れば知るほどただならない事態の四年間だったと思い、その間、私たちはカンボジアを知ろうとしていたのだろうかと自問した。

子どもの身体は小さく、年齢よりもだいぶ幼く見えた。半面、大人はかなり老けて見えた。おばあさんが孫を抱いているかと思うと自分の子だということが多々あった。産める能力のある女性はみな赤ちゃんを授かったかと思えるほどの光景を随所で目にした。初めは戸惑ったが、妙に納得していった。そして、どこへ行っても男性よりも女性が多い。村や町の集会を覗いても女性が目立つ。まるでカンボジアは女性の国になったかのようだった。それだけ男性が殺害されたということなのだろう。実際、寡婦となった女性たちに夫が殺害された理由を尋ねると「男だから」との単純な答えが多々あったことが今でも忘れられない。

取材を重ねながら痛感したのは、人間の意識の底に潜んでいる権力欲や殺意などの魔性についてだった。これらは一たび顔を出し節度を失うと、とめどもなく膨らんでいく恐ろしいものだと痛感させられた。ポル・ポト政権のオンカーたちも、そうした流れに呑み込まれて恐怖が恐怖を呼んで止め処がなくなったのだろう。雪崩のようにただただ勢いを増していく。巻き込まれた一人ひとりはその内なる我との闘いはどうだったのだろうか。カンボジアの場合、同じ言葉を話す同じ民族からの想像を絶する弾圧や暴力、殺害といった真っただなかに組み込まれた一人ひとりは何を考え思っていただろうか。悲しさ、悔しさ、怒り……は計り知れないほど深かったに違いない。

人類が共存共栄していくための常識や理性などがたやすく消されてしまったことに、私は今もって言いようのない不安感を覚える。今、この現在もロシア軍のウクライナへの攻撃ばかりか、内乱、弾圧、戦闘など不穏な状況が世界の随所で起こっているだけに、私たちは歴史的事実からも学びながら未来に生かせるようにしていきたい。

機織り、カンボジア、一九八一年

# 第三章　戦争の終わりとは何か

## 被爆者の同心円～秋月辰一郎医師と被爆者

宝もののひとつとして大切にしているのが着物の上っ張りである。それを作ってくれたのは先に述べた広島で被爆した清水ツルコさん（一九一一年生）だ。時たま、私は簞笥から出してはツルコさんやカンボジアに想いを馳せている。

ツルコさんは亡くなったけれど多くの被爆した人たちとの付き合いは今でも続いている。かつては被爆を体験した人たちに当時の話を聞き撮影をさせてもらう勇気は私の気持ちの奥でなかなか定まらなかった。理由のひとつは、家族も私も被爆者ではなく広島や長崎が故郷ではないので部外者である私が、一人ひとりの気持ちに寄り添えるだろうか。そうした私を受け容れてくれるだろうか、という迷いがあったことだ。

ふたつ目は大先輩の土門拳氏が『ヒロシマ』（研光社、一九五八年）という分厚い写真集を、そして東松照明氏が『東松照明写真集〈11時02分〉NAGASAKI』（写真同人社、一九六六年）を出版していた。両者とも力強い映像で撮り切っている。もう誰も撮らなくて済むほどの原爆の悲惨さが迫る。ヒロシマもナガサキも実態を写したという次元を超えた写真表現の力強さと深さがあり、原爆への怒りが普遍化されている。『ヒロシマ』は原爆投下から一三年後に撮影されたこともあって、破壊の痕跡はむろんのこと被爆者の苦悩も貧困も生々しく写し出されている。それに較べ一九八〇年代初頭に私が佇んだ広島はすでに復興し、発展し、他の街

清水ツルコさん、広島

と何ら変わりはない。高層ビルは太陽の光を浴びて輝いているし、アスファルトの通りは賑わっている。もう、原爆の欠片も見えない。それは復興を遂げたことで喜ばしいことだ……と、歩きまわりながら感じたが、撮影は全くできなかった。けれどあるとき、ふと思った。光の当たるビルの影はやけに濃い。その濃い影のなかに被爆者がいるのではないか……。

ふたつの迷いを抱えつつも紹介されて訪ねたのが先に触れた清水ツルコさんだった。緊張しながら清水さん宅の玄関先から声をかけた。背中を向けて横長の机の前に正座をして着物を広げていたが、振り返って、笑顔で招き入れてくれた。近所に頼まれた着物を縫っていると言いながら手を休めない。手元を見ると、一〇本の指の半分がケロイド状態で動かない。それでも残りの五本の指を素早く動かしながら器用に針と糸を扱う。その姿は逞しいと同時に神々しくさえ見えた。ああ、これが「今」の被爆者なのだと思った。一九八四年のことである。

それでも被爆者とは無関係のこの私が「被爆者」を撮影するのはおこがましいのではないかとの戸惑いは拭えない。しばらく話をするうちに、彼女はそんな私を大きな懐で包み込んで安堵感と勇気を与えてくれて、私のやるべきことや進むべき道を示唆してくれた。まさに私にとってはヒロシマのお母さんという存在になった。「お母さん」が心の支えになって以降、積極的に被爆者を訪ね歩いては記録に収めることができていった。

清水ツルコさんは晴れた空からの太陽が燦々と照り付ける一九四五年八月六日八時一五分、

母親と一緒に爆心地から一・八㎞の竹屋町の道路で建物疎開の作業をしていた。上着の黒っぽい色は熱線で焼けてしまい、白い下着が少し残ったけれど、下着の跡をくっきりと残して全身に大火傷をした。母親は亡くなり、夫は戦死し、まだ子どもの弟と自分の幼い息子を育てなければならない。全身のケロイド状の傷の痛みに堪え、親戚からも「うつる」「きたない」と蔑まれ居場所さえもなくなり、「顔も赤鬼のように」なった姿で、必死に働いた。出会った頃は顔も身体もケロイドは薄くなっていた。復興するにつれて夜の仕事の女性たちからの注文も増えて生計の支えになっていった。

「私の被爆状態は醜くかったし、痛くて辛かったけれど、爆心地に近い人ほど酷い目に遭っているんです。丸焦げの遺体もいくらでもあった」

清水ツルコさんは「私はこれでもマシだった。生き残れたのだから」と何度も繰り返した。一・八㎞でもこれほどの大火傷を負ったのだから、爆心地で生き残れた人はごく僅かでしかなかったろう。半径五〇〇m以内ではすべての生命が破壊されたに等しい。それでも助かった人たちがいた。一九六九年の段階で七八人が確認された(広島大学「爆心プロジェクト」調査)。

半世紀後の生存者は三八人に減ったがそのなかの多くの人たちを私は訪ねることができた。そのひとりの嵐貞夫さん(一九三六年生)はその瞬間、袋町小学校の地下室の下駄箱の傍で助かった。「火の玉が見えたように思う。ようやく外に出たが校舎は崩れ、朝礼をしていたはずの校庭はただ真っ暗。動く姿はなかった」。家族九人の全員が爆死してひとりだけ残った。彼のように小学校で生き残れたのは六人だった。

五〇〇m以内には七台の市内電車が走っていたがうち六人しか助からなかった。そのひとり、柿本美知恵さん（一九二五年生）は満員電車の中程にいた。「突然、熱い空気がウワーッと。人のなかに伏せたが窓ガラスで顔を怪我した。倒れた人たちを踏んで外へ飛び出すと、辺りは凄まじい光景だった。今もそのときの夢を見る。夕焼け空を見てもあの日を思い出して怖い」

路上や自宅では九人が生き延びることができた。その一人である立野ツネ子さん（一九二三年生）は通勤途中の路上を歩いていたとき、「前からオレンジ色の大きな炎が、熱い空気といっしょにウワーッと押し寄せてきて、建物の下敷きになって気を失った」。助けられ、火傷も怪我もしていなかったが、彼女はその後、下痢、高熱、脱毛などの後遺症に苦しんだ。

長崎の爆心地上空の五〇〇mでも、もうひとつの太陽が人びとを襲った。火の玉は直径一〇〇mに拡大し、摂氏三〇万〜一〇〇万度に達した。当時の長崎市民は推定二四万人、うち一五万人が瞬時に死傷したから三人にふたりがやられたことになる。その後も次々に原爆症で亡くなっていった。爆撃中心地といえる松山町には三〇〇軒、一八六〇人が暮らしていたが一瞬にして、その瞬間そこにいた人のすべてが炭化状になった。ただひとり、一五〇mの防空壕のなかで助かった黒川幸子さん（一九三六年生）がいた。一緒にいたふたりの妹も町内の人も同じ防空壕のなかに避難していたが亡くなった。「いつも鳴っていた警報もなかったけれど飛行機音がしたので壕のなかに入ったとたん、入口でピカーッとなり、妹の泣き声を聞きながら気絶した」。仕事先から戻った父親に九歳の少女は助けられたが、破壊された町で目にした光景は「大勢の真黒い死体と皮の垂れ下がった怪我人ばかり」だったと二〇一八年に取材したときに語ってくれた。

　彼女が育った松山町はその後、アメリカ進駐軍によって土を盛られ、住民の一人ひとりも家財も人びとの思い出の宝物も家族が暮らしていた家も、ほとんど炭状と化したすべてが土に埋められてしまった。真っ赤な大きい火の玉を見たであろう誰もが、何も見なかったことにされて七五年以上もの間、相変わらず土のなかに押し込まれたまま、魂への尊厳も得られていない。掘り返せば、炭化したお骨や家財や瓦などが現れるだろうからお参りも祈りも捧げられるだろう。けれど、市は埋めたり壊したりして「悲惨で惨めなもの」は皆の目から除いて、復興と発展に精力を注いだ。こうして、広島に比べると長崎は遺構がほとんどない「戦後」を辿った。

　爆心地から四五〇ｍの城山町《しろやままち》の防空壕で助かった吉浦泰二郎さん（一九三七年生）は「上空に敵機の姿を見て壕に飛び込んだ。入口付近にいたふたりは爆風で飛ばされ、一ｍの差で助かった」と話す。爆心地から五〇〇ｍにある城山町の自宅で助かった何人かの人にも会うことができた。そのひとり、奥村アヤ子さん（一九三七年生）は自宅の庭でピカーッと凄い光を受けた。気が付くと九人家族のうち七人は、「何も言わずに姿も見せずに、消えてしまった。大怪我をした四歳の弟も翌年の秋に亡くなり私は独りになった」。江川千鶴子さん（一九三六年生）も同じように自宅の庭にいて「青い空が瞬時にドローッとした灰色になったので家のなかに走り込んで気絶した」。四日後、次兄が「天皇陛下バンザーイ」と言って亡くなった。

広島の爆心地五〇〇m圏内を取材したように長崎もその頃から通っていたら、もっと多くの爆心地付近の人たちから当時の瞬間の生の声を聞いて伝えることができただろうにと、悔やまれる。

爆心地で生き延びた数少ない人たちの言葉は重い。けれど、私が文字にするとやや平板になってしまうもどかしさがある。それを埋めてくれるのが当日、他の地で被爆しながらも爆心地に住む家族のもとへようやく帰り着いた人たちの言葉だ。たとえば長崎の松尾あつゆきさんの句がそのひとつだ。八月九日に自宅付近の防空壕のなかで家族を見つけたがすでに四歳と一歳のふたりの子は亡くなっていた。

こときれし子をそばに木も家もなく明けてくる

すべなし地に置けば子にむらがる蝿

そして瀕死の長男は木の枝をしゃぶって、うわ言で「さとうきびばい、うまかとばい」と言い、翌日の一〇日に亡くなった。妻の様態も悪く「唯昏々と」しながらも乳が張って苦しいと訴える。「吸ってやる。あまい味である。子は死んでも、そして自身は死に瀕していても乳は出てくるのが却て悲しかった」。妻はとうとう一四日に亡くなり、一五日に遺体を焼く。

降伏のみことのり妻をやく火いまぞ熾りつ

「今になって降伏とは何事か。妻は、子は、一体何のために死んだのか、あゝ、彼らは犬死ではないか、（略）僅か五日か六日の違いで」と彼は悔しがる思いを日記に綴った。

なにもかもなくした手に四まいの爆死証明

一九九七年から多くの被爆者に会い話を聞き写真を撮らせてもらったが、松尾あつゆきさんには会えなかった。直接、聞かせてもらえなかったものの句の短い言葉に胸を摑まれる。まさに爆心地の一人ひとりがどのような状況だったのかを語ってくれている。

秋月辰一郎医師（元聖フランシスコ病院院長）が記録し、著書のなかに登場する「死の同心円」という言葉に胸を衝かれた（一九四五年八月九日から一年間の記録である『長崎原爆記』、その後にまとめたのが『死の同心円』、長崎文献社）。彼は本原の浦上第一病院（一・四㎞）で診察中に、看護師で後に妻となる壽賀子さんらと被爆した。一人ひとりが苦悩しながらも私に話してくれたことの最も重い体験は被爆の同心円に繋がる思いだったように思う。松尾あつゆきさんの句も、広島の五〇〇ｍ圏内で被爆した人たちも、生き延びることができたからこそ私たちに絶対悪の体験を経て現在に至る人生を語ってくれることができた。身近な人たちが迎えた死に戸惑いと悲しみ、苦悩を抱きながら生き続けてきたからこそだろう。「伝えるために生かされている」と被爆者たちは話す。それでも、語ると当時に引き戻されるから、できればじっと静かな日々でいたいと思うのは当然だろう。

そうした胸の重さを跳ね除けるように秋月医師は日記を付けながら悶々と悩む。

「軽傷だ、無傷だと安心していた人たちが、十日たち、二十日たちして、一人ずつ死んでいった。悪魔の力に奪われていった」と綴る。

大勢の同じような体験の話を私も聞いた。中村由一さん（当時二歳）は瓦などに埋まって首だけ出して気絶し、家族は死んだものだと思い廃材を燃やすだけの火葬場に連れて行った。火葬の直前に兄（一〇歳）が「由一の足が微かに動いた」と叫んだことで彼は助かった。その兄は怪我も火傷もなく元気にしていたものの一か月後に体調が急変して亡くなった。高い熱に襲われ、血液性の下痢便、歯ぐきからの出血、皮下出血……。原爆症だった。その時点では病名もなく、無傷で助かった多くの人が似たような症状で亡くなっていった。「兄は命の恩人だったのに」と中村由一さんは今も口惜しい思いが拭い切れない。

秋月医師がその当時、診療していた浦上第一病院（一・四km）と同じ地域の元原の自宅（一・四km）で山川富佐子さん（一九四二年生）は家族ごと被爆した。彼女の三人の兄のうちふたりは重傷を負ったが、いちばん元気だった次兄（一二歳）が九月に容態を急変させて、出血など同じような症状の原爆症で間もなく亡くなった。「私は三歳だったのでほとんど覚えていないけれど、兄の死について両親から悔しい胸の内をよく聞いた」

朗らかで元気の良い富佐子さんが最近、癌に侵されていることがわかった。心臓病なども患ったうえに、畳みかけるように病が襲ってきた。「もう、七五年以上も経つのだから大丈夫だと安心していたのに、やられてしまったわ」と声を詰まらせた。原爆症に苦しまなかった被爆者はいないのではないかと思うほど、多くの悲痛な声を聞いた。あの当時は赤痢かと思ったようだったが、もっと恐ろしい「放射能症」だったわけで、それが今なお続いているということだろう。

秋月医師は綴る。広島も長崎も「医師は自らも被爆し放射能を浴びながら、放射性物質がうず高く積もった土地の上で、次つぎに生命を奪い去る放射能症に立ち向かったのである。（略）人間の生命と生命の血みどろの叫びであり、呻《うめ》きであった」。「原子爆弾の中心地より五百メートルから千五百メートル、二千メートルの距離で被爆した人びとが、この八月下旬から四十日、五十日の間に死んでしまったのである。（略）しかもその四十日は、混乱の真最中で、化学も救助も医療も報道も、きわめて不十分の活動しかできなかった」

爆撃から一〇日までの間に急死する人が後を絶たなかった。「あまりにも急激な死亡、あまりにももろく死んでゆく場合には、医師として静かに考える余裕すら私にはなかった。無数の人びとがむしけらのように焦げて、紫色になって死んでしまった。それに続く四十日間は徐々に人間の生命を破壊していった。徐々に迫りくる、しかもどうしても免れざる死」に瀕した被爆者を乏しい医薬品と原爆症に対する知識の薄さに医師として悩みながら、「たくさんの人が、同じような症状で死んでゆく。その死体を葬って、やがて自分にもその症状が起こる。この恐怖が本当の原爆の恐怖と惨状であった」。

「私はこれを『死の同心円、魔の同心円』と、こころのなかで名づけた。今日は、あの家の線までの人が死んだ。翌日になると、その家より、百メートル上の家の人が死にそうになる。その円周は次第に広がってゆく」

四〇日後にアメリカ進駐軍の専門家が長崎に入り、科学的な調査報告書を作った。「しかし、人間の運命についての調査はついになされなかった」。警報も鳴らず突然の爆撃で破壊し尽くされ、被爆者たちはひたすら悪魔と闘うばかりの大混乱だったのに記録はほとんど取れなかったに等しい。空白の日々だった。

秋月医師はその当日について「八月九日、空に一片の雲影もない。そこの抜けた青空」が一変して地獄と化したと言う。人びとは広島の「新型爆弾」の本性も知らされず、多くの科学者でさえも「原子エネルギー、さらに恐るべき放射線という知識」がない状態で二発目の原爆を投下されたことについて彼は次のように綴っている。

「しかし、仁科教授とか数人の科学者の首脳は、アメリカ科学陣の警告を受けていた。この新型爆弾の恐るべき破壊力、いや、それよりも恐ろしい、人間の生命の奥深くへ入り込んで侵犯《しんぱん》する悪魔の力、それを知っていたはずである。（略）私はそんなことは何も知らない。わら草履をはいて往診を続ける」と綴っている。「警告を受けていた」か否かについては不明確だが、八月八日に広島入りして「仁科は、これは原子爆弾であるのは間違いないと確信したと書いている」（保阪正康、『日本の原爆』、新潮社）。

たしかに一部の首脳陣は原子爆弾を知っていた。けれど、白血病研究の朝《とも》長《なが》万《ま》左《さ》男《お》医師（一九四三年生）は「ウラン精製については手探り状態だった」と当時の状況を語る。日本でもアメリカに先駆けて製造に成功したいと東条英機の秘密機関の「二号研究」が進められ、その中心的な科学者は仁科芳雄教授だった。仁科教授は無理だとわかりながらも、軍からの研究費欲しさに原爆製造の研究が進んでいるような振りをしていたとか、「平和利用」を想定していたといった説もある。真偽の程は定かではないが、広島のウラン爆弾投下の後に、「新型爆弾」で素知らぬ顔をするのではなく国民にその危険性を知らせる義務があったのではないだろうか。戦争とはいえ、アメリカが何度も警告していたのだから、二発目のプルトニウム爆弾を避ける何らかの行動に邁進するのが科学者の役目ではなかったろうかと私には思える。

同時に、嘆かわしいのは「いまも世界中の人々が原爆の被害についてこのような認識（日本軍の残虐行為）をもち、日本人までが戦争の罪悪と原爆の正当性とをすりかえて考えていることである」と秋月医師は述べている。広島や長崎の原爆の実態と真摯に向き合う機会は与えられず、知らされずに、歳月と共に次第に忘れ去られていく。その原因のひとつが、日本軍の

「真珠湾攻撃」や「マニラの悲劇*」だと言う。放射線専門医師であった永井隆の著した『長崎の鐘』（日比谷出版社）の出版を駐留軍が認める条件に、連合軍総司令部諜報課による「マニラの悲劇」を無理に転載させた。分量は双方がほぼ半分ずつにも当たるほどのものだった。文庫本になった『長崎の鐘』には、さすがに「マニラの悲劇」は掲載されていない。

＊マニラの悲劇
　フィリピンを支配していた日本軍に一九四五年二月、連合軍が大規模な市街戦を仕掛けて七〇万人の市民のうち一〇万人を犠牲にして日本軍の三年間にわたる支配に幕を引いた。

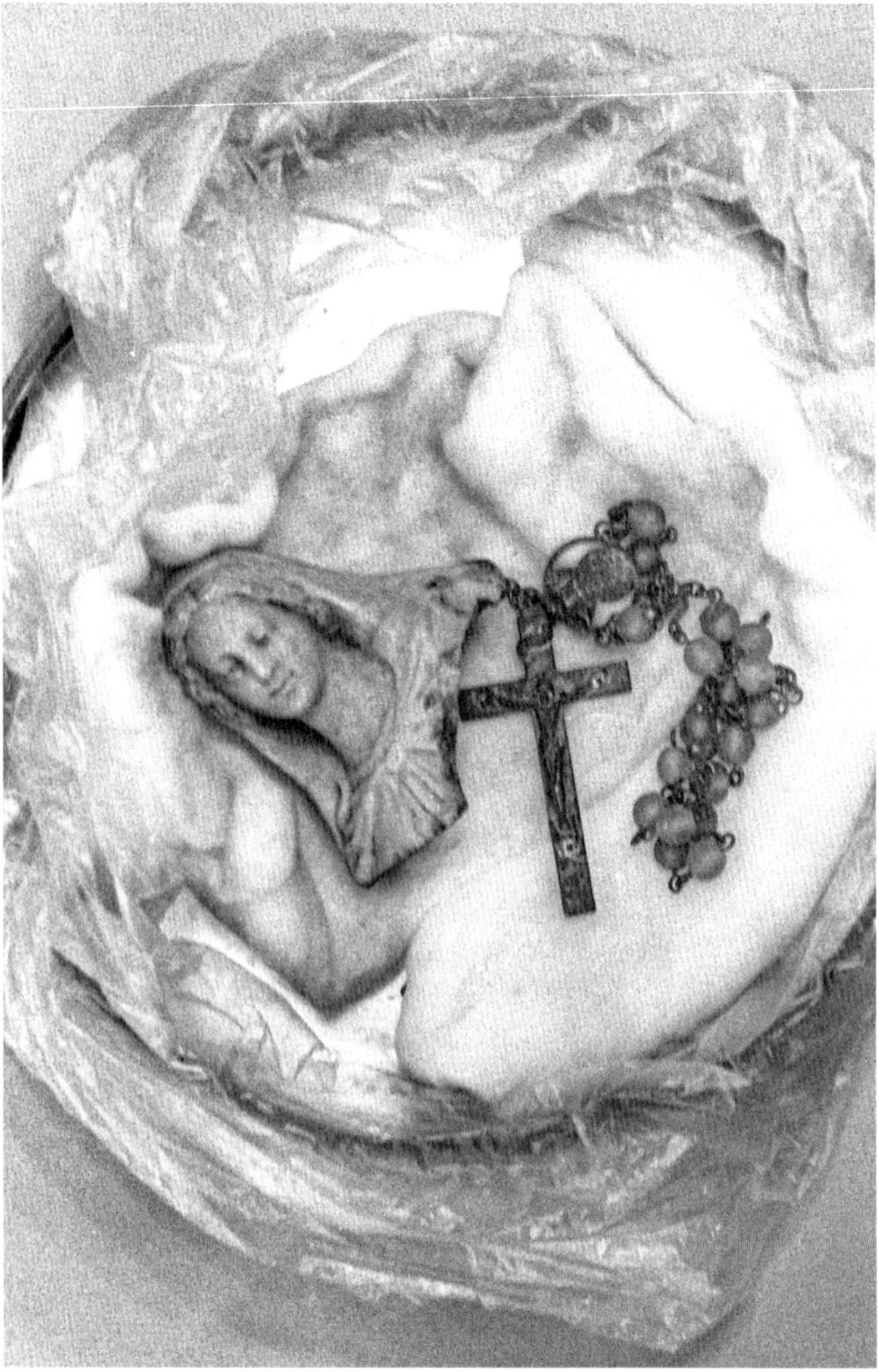

ロザリオ、長崎

## 進化する被爆者治療〜被爆医師と被爆者

現在、医学は秋月辰一郎医師が生きた時代には考えられなかった進歩を遂げた。むろん、まだまだ克服されない分野はあるのだろうけれど。「二つ目の大きな太陽光の直撃」を受けた結果、被爆者の体内では何が起こったのか、そして今日まで何が起こって来たのか。今後、何が起ころうとしているのか……。医師や研究者たちは「被爆の闇」を解明したいと必死の思いでいる。

被爆者たちは歳を重ねるにつれて不安は募るばかりだ。あの日以来、大勢の一人ひとりが愛しい家族や友だちの死に直面して嘆き悲しみながら、次は自分ではないか……と怯えた。荒野と化した街も少しずつ人の動きが見られるようになったものの、毎日毎日が次は自分か……の不安の歳月だった。世間の目も他人の心も自分に冷たく感じられる。自分のせいではないのに、犠牲者なのに疎まれる。アメリカや日本の為政者によって被害の過小評価を半ば強要されたからだ。当事者として納得はいかなかったが、それならばそうした流れのなかで原爆症を隠して生きるしかないとの考えに傾いていった人たちが少なくなかった。

話を聞かせてもらいたい、写真も撮らせて欲しい……と一人ひとりに頼んでも、被爆者であることを隠して結婚したから夫に知られたくない……就職先に今さら明かせない……などの理由で受け入れてもらえなかった人は実に多い。そればかりか、息子や娘の結婚や就職に差し障りがあるから……とも言われて断られた。もう大丈夫かと思う時代になっても、孫の就職に……、孫の結婚に……と同じ言葉が人は変わっても返ってきた。そこまで被爆者を追い詰めたのは、いったい誰なのか。私たち非被爆者だろう。自分も含めた大勢の人間の罪深さに暗澹とした気持ちになりながら歩き回った。さすがに曽孫が……とは聞かなくなった。それほど時間がかかるということなのか。

弱った身体をおして原爆反対、核兵器反対に声を上げてきた人たちの市民運動が実ってきたこともあろう。ＩＣＡＮ（核兵器廃絶国際キャンペーン）がノーベル平和賞を受賞し、広島で被爆したサーロー節子さんの心を打つスピーチなどによっても、世界や世間が目を開き始めた。七〇年以上も経ってからだから遅すぎるけれど、「始めるのに遅すぎることはない。(Not too late to begin)」とも言うように、ないよりはましだ。ようやく秋月辰一郎医師たちの苦悩も怒りも報われ始めたのだろうが、それでも日本は被爆国でありながら「核兵器禁止条約」を批准していない。為政者として恥ずかしいとは思わないのだろうか。

政治は簡単には動かない。けれど医学的研究は着々と進んでいるように見える。長崎の自宅（一・七㎞）で二歳のときに被爆した先に記した朝長万左男医師は白血病の研究を続けている。祖父、父親を受け継いで医師になり被爆者の診察を長年にわたって続けて来た。

「一九四八年から一九六〇年に初めて（被爆者のなかで）白血病が出現した。広島と長崎の医師は白血病に苦しむ被爆患者の数が徐々に増加することを認識し始めた。白血病の過剰年率は一九五五年まで上昇し続け、その後一〇年以上、上昇したレベルで続いた。小児期に曝露された高齢の被爆者の骨髄異形成症候群（ＭＤＳ）は現在の増加と対照的であり、体内の白血病誘導の複雑なメカニズムを示唆している。総発生率は被爆者ではない長崎市民の対象群の四〜五倍であり、被爆者の平均年齢が八〇歳を超えても、すべての癌のリスクはまだ増加を辿っている」と朝長医師はレポートで述べている。

朝長万左男医師を訪ねては、被爆者と白血病や癌などの関係を教えてもらった。むろん、私は全くの素人だがそれでも素人は素人なりに同時に強い興味を抱いた。それは一九八四年の広島で始めた被爆者たちへの取材以来、今日まで大勢の人に会ってきたことによる。彼ら一人ひとりの体験と苦悩から多くを教えられてきた。専門的なことはわからなくても、概ね、ああ、これがあの被爆者を、この人を、苦しめているのか……と重ねて考えられる。幾つかのレポートも読ませてもらった。そうした被爆者の人たちとの付き合いが続いている。

広島の斉藤大望さん（一九三〇年生）は広島富国館（五〇〇m圏内）にある広島電信局で被爆した。「東京からの軍事通信が立て込んでいた最中に閃光が炸裂した。山県郡の実家に帰ったが、原爆症が現れて人事不省に陥った。静養はしたものの今でも白血球は正常値の半分以下。

斉藤大望さん、広島

蚊に刺されても膿んでしまうし、歯を抜いても一昼夜は血が止まらないけれど元気を装っている。原爆で左足先はつぶれ、両腿には金具がめり込んだままだから痛い。でも、さして長い命ではないと思い放ってきた。原爆で遺体も見つからない大勢の人たちのことを考えるとたまらない」。がらんとした部屋の梁から吊した薬草がずらりと下がっている。「死んだら献体に……」と急に声の力をなくして言った。一九八五年の取材でのことだった。広島富国館では彼を合わせて一八人だけが生き残った。

「まるで流行り病のように」と語ったのは、長崎の爆心地から七㎞離れた網場《あば》で被爆した松尾榮千子さん（一九四〇年生）だ。「海岸に面した空き地で友だちとふたりで遊んでいたら、黄色い閃光の後、強風で小石が飛んできたのです。走ってお互いの家に帰りました。家のなかは嵐の後のように乱雑。父親に背負われて暗渠に逃げたのですが、その後、ずっと原爆症に悩まされています」

秋月医師の記録にも朝長医師のレポートにも「原爆投下後、一週間ほどで下痢から血まみれの便に悪化し、栄養不足、脱水症状、貧血」とある。井伏鱒二の『黒い雨』では赤痢爆弾と表現されている。被爆者たちは一様に同じような症状に襲われていた。松尾榮千子さんのように七㎞も離れていても原爆症の症状は同じだった。彼女はこう続ける。

「その友だちは小学校二年生の時に白血病で亡くなりました。多くの人たちが同じように罹っても、放射能が原因とはわからないままでした。私も子どものころから貧血に悩み、乳癌は三回の手術、他にもあれこれ病は絶えません」

網場は爆心地から東側の地域に当たり低い山々（最高峰は金比羅山、三六六m）を挟んで、当時は長崎市外だった。けれど風が吹いて東側にはきのこ雲による黒い雨や灰が大量に降り注いだ。屋外にいた人は直接に浴びることになり、屋内の人も溜池や水路の生活水を使用し畑の野菜などによっても、否応なく被曝していった。

矢野ユミ子さん（一九三四年生）は八kmの戸石《といし》で閃光と爆風を受けた数日後から歯ぐきからの出血、脱毛などの原爆症に襲われ貧血になり、兄弟六人とも同じ症状になって、うち四人は成人してから癌で亡くなった。本人も胃癌や甲状腺癌を患い不調の日々が続くと語っていた。東側のこうした地域も戦後は長崎市に組み込まれたが、当時の原爆被害地は長崎旧市内と決められた。被爆者とはみなされなかったために、直後の原爆症に苦しんだことも、やがて白血病に侵されて亡くなったことも、複数の癌を患っていても原爆が原因とはみなされない。国も市も「被爆者」ではなく「被爆体験者」として区別している。県外の人にはわかりにくいし私も到底、納得できない。行政は被爆者と同じ保護も保障もしていない。彼らが真剣にどんなに訴えても聞く耳を持とうともしないナガサキ特有の制度が、今日に至っている。（二〇一一年八月九日の長崎原爆犠牲慰霊平和祈念式典の宣言で田上市長は被爆体験者に触れて、広島の黒い雨を浴びた広範囲の地域の人びとが認められたのと同様に、長崎も被爆者として認めて欲しいと訴えた。）

国としては被爆者の人数が減る一方のなかで、被爆者として新しく加えたくはないのかもしれない。けれど、実は歳月が経つにつれて新しいことがわかってくるのが原爆による放射線障がいの特徴のようだ。朝長万左男医師のレポートでは驚くことが述べられている。それは「身体のなかにまだ原爆が残っている」という事実だ。七五年も経ったのだから原爆の障がいはないに等しいと主張したい人たちにとっては真逆の研究結果かもしれない。朝長医師らは原爆特有の人体への影響は「生涯持続性」だと述べている。一生涯にわたって体内の放射線による傷は治ることも消え去ることもない。そうした点について朝長医師は「被爆者の解剖から得られた肺と骨に残っているプルトニウム粒子を発見したが、まだ明確な確認には至っていない」と述べた後、こう言及する。

「原爆放射線の医学的結果は、ほとんどすべてが臓器細胞へのDNA損傷から生じる。現在、癌治療は大きく進歩したにもかかわらず、高齢者になると癌や白血病を発症した被爆者の半数以上が最終的に致命的な結果で死亡した。したがって、原爆は毎年多くの被爆者を殺し続けている」

『雅子斃《たお》れず』の著者である石田雅子さん（一九三一年生）は学徒動員で長崎の三菱兵器大橋工場（一・二㎞）に通っていた。「あたりが桃色にクワッと熱く光り」、工場内の魚雷が爆発したのかと思いながら爆風に飛ばされた。「泣く、叫ぶ、わめく声、油に火がついたのか轟然《ごうぜん》たる爆裂音、すべて地獄の責苦《せめく》かと思われる恐ろしさ（略）生も死も忘れてただただ逃げていくのでした」

　幸いにも父親に助けられて入院した。けれどむろん体調は悪い。

「普通の人なら六〇〇〇～八〇〇〇はなければならないという白血球が一八五〇しかないと聞いて、私は気が遠くなった様な気がしました」。八月三〇日のことだった。翌朝、父親の出張先だった福岡へ叔母の付き添いで向かい、二〇日、九州帝大医学部附属病院澤田内科に入院し、輸血が施された。「原子爆弾の患者には、肝臓ホルモンという少量ではあるのですが、それはそれは痛い注射を必ずやらなければならない」ことだったが、輸血と共に効果があって快方に向かった。一〇月半ばに退院し、以降、三か月ほど自宅で療養した。

　彼女の『雅子斃れず』は兄の発行する石田新聞に一九四五年一一月から四六年三月、八回にわたって連載され、一九四九年に婦人タイムズ社、半年後に表現社から出版された。放射線専門医師であった永井隆に続いて二冊目の本となったが、進駐軍（ＧＨＱ）は『長崎の鐘』のような出版に当たっての条件はつけなかった。初版の後で、雅子さんは著作を手にして、父親、

柳川(旧姓石田)雅子さん、長崎

兄と共に如己堂《にょこどう》で暮らす永井博士を訪ねた。

彼女は「まるで土のなかから掘り出された埴輪人形か、渋い色の骨董品を連想させるような、永井先生が横たわって、（略）ふと気が付くと、お腹が山のように盛り上がっている。（略）苦しそうに肩で息をつかれる」と、永井先生が病に痩せ細っていて、何冊もの著作を執筆したエネルギーがある人物には見えないことに驚いている。そうした体調にありながらも書き続けていることへの尊敬の念を彼女は強く抱き、一言も聞き漏らすまいと永井隆博士の言葉を心の底から聞いた。

「あなたは患者、僕は医者、これじゃ後世の人たちが、長崎の原子爆弾は、医学界だけに落ちたと考えるでしょう。どうしてみんな書かないんだろう。（略）原子爆弾で染まった泥と、あかと、血をぬぐって、それをそのまま文章に連ねた僕たちの記録なんだ。（略）あの爆弾で死んだ人たちは、どんなに、叫びたいか知れない。平和のためにね。僕たち生き残ったものは、かれらに代わって、世界に叫んでやる義務があるのだ」

自著の『長崎の鐘』に震える手でサインをして雅子さんに渡した。一九四九年三月のことである。雅子さんの本の重版に当たって永井博士は後に序文を寄せた。「（略）――あやしい光りを放ちながら空を被った原子雲の下、屍《しかばね》のあいだに生き残っている自分を自覚した君は、その年僅か十五歳であった。――十五歳の少女の柔らかい膚《はだ》は切られて血を噴いた。幼い骨髄は放射線を受けて潰《つぶ》れた。人の世の痛みを知らなかった心は原子野よりもひどく砕《くだ》かれていた。
――君はその体験をそのとき直ぐ、十五歳の少女の感覚で書きつけた。（略）」

永井隆博士は被爆直後の様子を「地獄だ、地獄だ。うめき声一つ立てるものもなく、まったくの死後の世界である」と『長崎の鐘』で綴っている。当時、最先端だった放射線専門医師として長崎医科大学附属医院内にいて被爆した。研究の途中ですでに白血病に罹っていることがわかったのが、皮肉にも原爆投下の数か月前だった。原爆投下で右側頭動脈切断の重傷を負い、瞬間的に大量の放射線を浴びた。妻みどりさんを爆死で失いながらも、八月一二日から救護・救援活動に当たり、被爆者の治療を行っていた。その合間にも助教授だった博士は放射線を大量に浴びたときの人類や生き物に対する影響を報告書にまとめたが、GHQの統制下にあってあまり知られることはなかった。

やがて白血病が悪化して倒れ、以降、「己の如く人を愛せよ」というキリストの言葉からとった「如己堂」で病魔と闘う日々となった。放射線の研究ができなくなった博士は床に臥しながら、実質四年半の間に『長崎の鐘』を含めて一七冊ほどの著書や短文を書き残した。凄まじいエネルギーがどこから湧いてくるのだろうか。敬服するばかりだ。

永井博士に対する診察は秋月医師の他、朝長万左男医師の父も往診を行っていたが、強力な放射線にやられた身体を当時の医療ではどうにも治すことはできなかった。朝長医師の父親が見守るなか一九五一年に四三歳の生涯を閉じて帰らぬ人となった。死後解剖で、永井隆博士の肝臓は通常の五倍、脾臓は三五倍にも膨れ上がっていたことがわかった。

医学の発展は目覚ましく、「一九九〇年頃、永井博士と同種の白血病は特効薬が開発されて治るようになりました。その抗癌剤で九割の患者が長期に生存できる。でも、白血病の染色体は複雑で六〇種くらいに分類されるため、その七割くらいの患者の治癒はできるが、三割の人はまだ難しい段階にある。それでも、永井先生が知ったら驚き喜ばれることでしょう」と朝長医師は語った。

白血病が染色体異常によって起こることがわかったのは一九六〇年代、そして八〇年代には遺伝子の異常が見つかり、九〇年代以降は更なる開発が進んでいる。それでも、人類が放射線を浴びたときになぜ白血病になるのか、癌になるのか、その解明はできていないためまだまだ研究は続くことになる。

雅子さんは白血球の激減で白血病を発症する危険性があっただけに、その後、健康でいられることが不思議なくらいだと言う。被爆一年後に右目を患って以降、大きな病気をすることもなく、父親の転勤に伴って育った東京に戻ってきた。二〇一九年に私は初めて彼女の自宅を訪ねた。本に掲載されている少女時代の写真の通りの柔らかくたおやかな雰囲気があるうえ、あの文体がそのまま漂うようなチャーミングな女性だ。二三歳のときに結婚して柳川の姓になり、ふたりの子どもと三人の孫、三人の曽孫に恵まれている。幾つもの趣味を楽しむ。磁器の絵付けや水泳、ピアノを奏でるなども生きる喜びのひとつになっている。「講話を頼まれることもあるけれど、想い出して辛いし、最近は体力的にも自信がなくなってきました。それでもたまには……。先達ては高校生に話をしました」

　聡明さと品性が漂っている。その後、電話での交流はあるものの、新型コロナウイルス感染拡大によって訪ねることはままならない。「もう、歳なので人様にもお会いしないで、家族とばかり。じっとしているしかないですね……」と気弱そうな声が返ってきたが、時折、底力は失せていない笑い声が受話器の向こうから響いてきて安堵感を覚えた。「永井隆先生のことを時々、想い出します。お身体は見るも哀れに衰弱されておられるのに、お考えはとても逞しく、生き生きしておられたのです」と著書に綴った通りの思いが今でもあると話していた。そして、古関裕而《こせきゆうじ》作曲、サトウハチロー作詞の歌「長崎の鐘」は大流行して今でも時折、歌われている。「この歌は聴くたびに、唄うたびに胸がいっぱいになってきますね」と呟くように語った。この言葉は多くの被爆者からも耳にした。特定の宗教を超えて、彼らの心のなかがそのまま描かれている歌だと私も感じている。

「長崎の鐘」

こよなく晴れた　青空を
悲しと思う　せつなさよ
うねりの波の　人の世に
はかなく生きる　野の花よ
なぐさめ　はげまし　長崎の
あゝ　長崎の鐘が鳴る

召されて妻は　天国へ
別れてひとり　旅立ちぬ
かたみに残る　ロザリオの
鎖に白き　わが涙
なぐさめ　はげまし　長崎の
あゝ　長崎の鐘が鳴る

「長崎の鐘」の歌が全国的に歌われ始めてから七〇年以上になる。朝長万左男医師は子どもだったけれど、この歌に目頭を熱くすることもあったろう。自分の体調に問題はなかったけれど周辺では白血病が増え始めた。永井博士の最期を看取った父親から白血病について聞く機会を持つことで自分も被爆者だと考えるようになり、白血病研究の道に進んだ。

朝長医師は「被爆者を治すのは、核廃絶の道しかないんです」と力を込めて語った。

一九四五年八月の二発の原爆で、人類が大量の放射線を浴びたらどうなるかがはっきりわかった。その結果、日本は世界唯一の戦時被爆国になった。一九五四年にはビキニ諸島での核実験によって第五福竜丸の乗組員が被爆し、一九九五年に高速増殖原型炉「もんじゅ」でのナトリウム漏えいの事故や、一九九九年の東海村JCO臨界事故などの後、二〇一一年には東京電力福島第一原発の大事故が起こった。その間に世界ではアメリカのスリーマイル島やウクライナのチョルノービリ（チェルノブイリ）の事故もあり、核実験場となった地域の住民たちの被曝も深刻だ。それらのなかでも日本が関係している放射線障がいは世界で最大といえる。

こうした厳しい現状にあってもなお日本は依然として核の傘のもとにあるという詭弁を弄して自らを縛り、身動きが取れない状態に甘んじているようにも感じる。政治の駆け引きを超えて人間の命の問題として足を踏み出す勇気を持ってほしいと私も思っている。被爆者でもあり白血病研究者でもある朝長万左男医師は危機感を募らせながら訴える。

「核抑止政策を克服するための新しい政治的アプローチを考案した人や国家はない。核兵器が戦争や事故、テロなどで使用されると、世界的に農業が崩壊し、核の冬とその後の飢饉を引き起こす可能性があることを踏まえて、政治指導者は被爆者の知恵から学びとり、ホモ・サピエンスが近い将来に絶滅危惧種になる可能性を避ける知恵を練るべきだ」

大勢の被爆者に会うなかで私が痛感してきたのは、彼ら一人ひとりの犠牲は何のためだったのかということだ。そして、いまだに被爆者の体内から消えない熾火《おきび》のようにくすぶり続ける核の放射線で傷ついた遺伝子が顔を出しては一人ひとりを揺さぶる。「生涯持続性」のこの苦闘を強いているのは何のためなのか。まさか、次世代に原爆の恐ろしさを知らせるための便法ではないだろうに。

## 焼き場に立つ少年〜ジョー・オダネルが撮った長崎の少年の写真

手許には「焼き場に立つ少年」の写真カードがある。長崎で取材中に被爆者からもらったものだ。同じものが原爆資料館にも教会の片隅にも置かれてあり、自由に手にすることができた。これまでにも何度か見ていた有名な写真だから私はさして驚くことはなかったけれど、被爆者や信徒たちの高揚した表情に接し、このハガキ大のカードが意味する意義深いものを改めて衝きつけられた。裏面には「戦争がもたらすもの」と書かれてあり、教皇のサインがある。来日にあたってこの写真をカードにして無料配布することを教皇が希望し、奨励されたこともあって写真カード「焼き場に立つ少年」は全国的に広まった。

フランシスコ教皇が二〇一九年一一月に長崎の爆心地を訪れたとき、拡大しパネル判にしたこの写真を傍らに置いて、教皇は被爆者たちを前に核廃絶の必要性を訴えた。そうしたこともあって、写真カードを広く配布することを教皇は希望していた。入場制限が厳しかったこともあって、私はその場には行かれなかったが、報道を通して被爆者たちの高揚感が伝わってきた。爆心地で教皇に原爆の悲惨さを直接に伝えることができたことや、教皇が核兵器の使用を非難されたことで核兵器廃絶への道に希望の灯が感じられたからだ。

教皇は子どもたちへの思いをこう述べてもいる。

わたしたちの心はしばしば抑えつけられて、笑うことも泣くこともできなくなっています。そんな中で小さな子どもたちが、もう一度笑ったり泣いたりすることを教えてくれるのです。(『ローマ法王の言葉』、講談社)

教皇が広く配布を願ったモノクローム写真の少年は長崎の被爆直後の一九四五年一〇月に米軍のカメラマンとして訪日していたジョー・オダネルさんによって撮影された。戦争の悲惨さを考えるうえで欠かせない写真の一枚として知れ渡っている。題名のように少年は焼き場にやって来た。オダネルさんの言葉によると、

長崎ではまだ次から次へと死体を運ぶ荷車が焼き場に向かっていた。(略)
人々の表情は暗い。(略)
悲惨な死の生み出した一瞬の熱と耐え難い臭気だけだった。
焼き場に一〇歳くらいの少年がやって来た。小さな体はやせ細り、ぼろぼろの服を着てはだしだった。少年の背中には二歳にもならない幼い男の子がくくりつけられていた。その子はまるで眠っているようで見たところ体のどこにも火傷の跡は見当たらない。(略)
脂の焼ける音がジュウと私の耳にも届く。炎は勢いよく燃え上がり、(略)

一度も焼かれる弟に目を落とすことはない。軍人も顔負けの見事な直立不動の姿勢で彼は弟を見送ったのだ。

私はカメラのファインダーを通して、涙も出ないほどの悲しみに打ちひしがれた顔を見守った。（略）

急に彼は回れ右をすると、背筋をぴんと張り、まっすぐ前を見て歩み去った。

（『トランクの中の日本』ジョー・オダネル他、平岡豊子訳、小学館）

少年は軍人も顔負けの直立不動と、後ろを振り向かないまま立ち去った姿勢をなぜ取り続けたのだろうかと私の思いは深く沈殿する。そこにアメリカ軍人が居合わせた緊張感か、あるいは大人たちに日本男児らしくと忠告を受けていたのだろうか。当時は軍国教育だったから男子も女子も「きをつけ」の姿勢は日常的だった名残が続いていたのだろうか。

オダネルさんが撮影した「規律厳守　敬礼励行」の看板にはその少年のように指先まで真っ直ぐに伸ばした敬礼の絵がある。今では日本とは思い難い看板だけれど、当時はこの姿勢と精神が子どもにも要求されていたのだろう。戦争は終わったものの、アメリカ軍服姿の背の高いオダネルさんが現れて、少年ばかりか一同が緊張したに違いない。日本語を解しないアメリカ人の思い込みなのかも知れないが、オダネルさんはこの看板は自分たち占領軍を歓迎するものだと思ったらしい。

ベトナムの農村を取材していた頃のことを思い出した。小さな村で、外国人に会ったことのない子どもたちが私を見て怖がった。同じアジア人だから一見して見分けはつかなかったろうが。一〇歳ぐらいの少年が「日本はまた稲を焼き払ったりどこかに運び去ったりしてボクたちを捕まえるの？」と言って顔色を変えて母親の後ろに隠れた。母親たちはむろん否定した。それは一九八〇年頃のことだから、太平洋戦争中に日本軍がベトナムに侵攻して稲を焼き払うなど傲慢な振る舞いをした戦時から三五年も経っていた。その後、アメリカ軍によるベトナム戦争も起こり、一九七五年に終わった。それでも少年の緊張感に私は胸を摑まれた気持ちになった。学校や家庭で子どもたちに戦争を語り伝えているのだろう。日本人は忘れたい気持ちでも、戦火での事実は消すことができないことを子どもの真っ直ぐな気持ちから味わわされた。

二三歳だったオダネルさんが米軍海兵隊のカメラマンとして初めて長崎県佐世保に上陸したのは一九四五年九月二日だった。そして同月下旬に、「母親に見せたい写真」を撮るために佐世保のカメラ店をのぞいた。「カメラの値段はびっくりするほど」安かったが、「カメラ屋の主人は期待に満ちた顔で、『シガレット？』とつぶやいた」ので、配布されて溜まっていた煙草を差し出し「スピードグラフィックとローライフレックス」に交換した。軍のカメラマンゆえに軍のカメラで撮影したフィルムはすべて軍に所有権があるからだ。

被害状況を撮影するのが彼の任務だった。九月末に大村市に向かい、一〇月六日か七日に少年を撮影した。十一日頃には大村で谷口稜輝《すみてる》さん（一六歳）の焼けただれた背中を撮影したが、あまりにも酷い状態にオダネルさんはその晩、一睡もできなかったという。一〇月中旬に休暇を終えて佐世保の米軍司令部に帰隊した。一一月初旬、軍の公用で爆心地を訪ね、破壊された浦上天主堂や三菱製鋼所など長崎の被爆状況を一か月余りかけて撮影し、広島、福岡など五〇か所ほどを回って四六年三月に離日した。

谷口稜輝さんの「赤い背中」を私が撮影したのは二〇一六年だった。強い眼差しをこちらに向け続けながらも言葉は優しい。酷い傷跡に狼狽《うろた》えている私の気持ちを見透かしたように柔らかい声で、「ほら、ここ、触ってごらんなさい。心臓が動いているのを感じるでしょう」と私の眼を覗き込んだ。いくら取材とはいえ、傷跡に直接触れるのは失礼ではないだろうかと、戸惑っていると「ほら、ここですよ」と細い指で示した。床擦れで左の胸の肉が削がれてしまい、肋骨から奥が見える。心臓が波打っているのもわかる。そっと指を当ててみると生暖かい肌を通してドキドキと心臓が音を立てているかのように力強く感じられた。背中全面の大火傷はケロイド状態だったから俯せ状態のまま、「ベッド上が毎日食堂になり、また便所」が一年九か月も続いた。彼の「殺して、殺して」と繰り返すうめき声を聞きながらオダネルさんは肉を剝ぎ取られ凸凹の赤い肉に覆われた、痛々しいでは表現し切れない背中とカメラのレンズを通して向き合った。

谷口さんは「私は奇跡的に生き延びたが、今もなお私たちの全身には原爆の呪うべき爪痕がある」と八八歳で亡くなるまで語っていた。

オダネルさんが休暇中に撮影した三〇〇枚の写真（ネガフィルム）は軍に見つからないようにして持ち帰った。しかしその後、彼は大統領を撮影するなどの仕事を得たために、個人用の写真は親にも、家族にも見せないで屋根裏部屋のトランクのなかにしまったままだった。アメリカ国内でも一九八六年頃から反核運動が始まったことを受けてナガサキを想い出し、四三年振りにトランクを開けた。現れた写真はどれも当時の無惨な状況を生々しく写したものばかりで、再び強い衝撃を受け、原爆がいかに残酷なものかを改めて痛感した。写真を公開して共に原爆について語りたいと彼は思ったが、日本への原爆投下は間違ってはいなかったという米国の多数の声に押しつぶされそうになった。それでも封印していたナガサキの写真が彼の強い意志で日の目をみることになったのだけれど、それが原因で妻とも不仲になり離婚に至ってしまった。さらに、ナガサキ、ヒロシマでの放射能被曝と思える影響で数十回の入退院を繰り返す

ジョー・オダネルさんと
焼き場に立つ少年(カードの複写)

など、氏の後半生は波乱に満ちたものだった。そしてトランクのなかには、あの「焼き場に立つ少年」の写真も入っていた。

オダネルさんはその後、「火傷を負った少年」の谷口稜輝さんには再会できた。けれど、「焼き場に立つ少年」には会えない。どうしても少年に再会したいと捜し回ったがかなわなかった。写真が有名になって少年の顔は知れ渡ったので関係者の目に留まっていたのではないかと思うが名乗りはなく、少年の胸の名札には強いストロボ光が当たり名前がフィルムに感光されなくて読み取れない。同時に、長崎再訪は四七年後の一九九二年だったからオダネルさんの当時の記憶は曖昧になっていたかもしれない。それでも、少年に再会したい願いは消えなかった。

背中の幼い弟を火葬した少年の深い悲しみはいかばかりだったろうか。子どもに対する悲痛な思いが写真家オダネルさんによってはっきりと写された。その後、少年はどのような戦後を過ごしたのだろうか……、どんな大人になったのか……、話がしたい……、と思ったに違いない。

オダネルさんに私が会ったのは一九九四年八月六日、広島市が主催した世界反核の写真展とシンポジウムでのときだった。パネリストはアメリカからふたり、カナダ、ドイツ、カザフスタン、そして日本から私の六人で、そのひとりがジョー・オダネルさんだった。

「長崎で何が起こったのかをアメリカ人に知らせることが私の役目。あの惨状を写真に撮った者としての義務でもある。原爆を否定することで反逆者扱いにされることもある。私は愛国者だが、国家の不正を訴えなければならない」

　彼は静かながら力強く語った。六人のなかで原爆の恐怖を直接に知っているただひとりの大先輩の言葉には重みがあった。「焼き場に立つ少年」ばかりかナガサキの惨憺たる写真は原爆の非道を力強く訴えている。原爆投下直後の長崎と広島を撮影した日本人は山端庸介さんだ。彼は八月一〇日に西部軍司令部の報道部員として数人と共に爆心地を視察し、何度も撮影を重ねている。それらの写真もさすがに凄まじい。ところが、彼の写真もまたアメリカ軍GHQから狙われた。一九五二年に規制が解除されて、日本にようやく表現の自由が戻るまで、山端さんはナガサキ、ヒロシマの写真を守り通した。そして私といえば、三九年も出遅れて一九八四年からヒロシマの撮影を始めたが、ナガサキはまだ訪れていなかった。それが悔やまれるだけに、終戦直後にカメラのシャッターを切っていたオダネルさんが同じ写真家として眩しく見えた。

　翌朝の八月七日にオダネルさんたちと平和記念公園での記念式典に向かい、六人が一緒にそれぞれの思いを胸に献花をした。カナダの写真家デルトデラシーさんは「アメリカの核兵器は単なる象徴のようで見えなくなることが多い。でも、こうして慰霊碑へ献花することで実感が湧く。大事なことです」と言っていた。オダネルさんは「ここで改めてアメリカの誤りは誤りとして言うべきだとの思いを強くしました」と静かな口調で私に語ってくれた。長年にわたって祖国と闘わなければならない心情はいかばかりか。彼は内心の苦渋を抱えて気持ちは重いだろうけれど、広島の真夏の光を浴びるオダネルさんは自信と誇りと尊厳が漲っているようで頼もしかった。彼に続かなければ、私も。

彼の人生は、ナガサキと共にあったと言っても過言ではない。二三歳のときに撮影したナガサキやヒロシマがトラウマのようになって彼の脳裏を占領していたのではないだろうか。祖国アメリカが原爆投下を正当化すればするほど、彼は「反原爆」の主張を強めながらあの少年との再会を切望した。それは多分、名前も何も尋ねなかった悔いがずっと彼の心に棘となって突き刺さっていたからかもしれない。ドキュメンタリー写真を撮る私にも、彼のその棘の意味がわかるような気がする。なぜあのとき、追いかけて、あるいは引き返して、尋ねなかったのか……と地団太を踏むことがある。

大勢の被爆者に会ってきた私にとってもその少年は他人ごととは思えない。ましてや被爆者たちにとってのあの少年は自分であり、亡くなった家族や友だちでもあり、いろいろな人たちが重なってくる子ども時代の姿でもあろうから、涙なしには見られないだろう。まさに自分たちの象徴であり具現化でもあるのだろうから。

少年の写真を科学技術によって色彩化すると目の端が出血し白目が灰色に変色しているのがわかる。鼻血のせいか布が鼻の穴に詰めてあることもＮＨＫ ＥＴＶ特集『〝焼き場に立つ少年〟をさがして』ではっきりと伝わってきた。放射能の影響を受けたうえ、暮らしが貧しく、弟が亡くなるなど家族に恵まれなかったとしたらどれほど辛かったであろうか。長崎の被爆者の取材を重ねるなかで、私もあの少年やおぶわれた幼子のような境遇にいた人たちに少なからず会っている。そうした厳しい状況のなかでは幼い子から順に命を奪われていくことが多いと教えられた。

オダネルさんが撮影した少年が気になる人は少なくない。そのひとりが『『焼き場に立つ少年』は何処へ』（長崎新聞社刊）の著者である吉岡栄二郎さん。彼は五年間かけて実に丹念に歩き回って取材するなかで、戸石村で少年らしき人に辿り着いた。今は長崎市に組み込まれているが当時は市外だった。当時の市長ら為政者は被爆地を市内のみと限定し、市の東側の低い山々（最高峰は金比羅山、三六六ｍ）の外側に位置する戸石村などは原爆の影響はないと決めつけていた。

この間の事情を取材するために、戸石村で生まれ育ち戸石村国民学校に通っていた矢野ユミ子さん（一九三四年生、当時五年生）に会った。彼女の話によると、「姉弟たちと外で遊んでいたら、轟音の直後に強く光り、そして黒い雨や灰が大量に降ってきた。四日ほどして歯ぐきから出血し、発熱し、一週間ほどして下痢が続いた。姉はそれらに加えて二週間ほどして髪の毛が抜けだした。周囲の子どもたちはみな同じ症状だった。そして、私たち家族は庭に干していた梅干を一年間食べ続けました」。

「少年」におぶわれた幼子には火傷も傷もないように見えるが、放射能という魔物の武器で発熱や下痢などにやられて持ちこたえられずに、とうとう一〇月六日か七日にオダネルさんの目の前で火葬されたのではなかろうか。この辺りの地でも、数日後には爆心地と変わらない症状が現れた。

著者の吉岡栄二郎さんによると、戸石町に住む里輝雄さんにあの写真の少年は「上戸明宏じゃなかろうか」と聞いて調べて回ったが消息は摑めなかったと言う。彼に私が会ったときも少年の手がかりは得られなかったが、「軍命で林にマツヤニを採りに行き爆風でとばされ足を捻挫した」と原爆直後に受けた自分の体験を話してくれた。被爆による幾つかの症状に悩まされ続けながら二〇二〇年に亡くなった。

少年が誰なのか、私たちは気になるもののこの写真の最も大事なメッセージは「戦争は子どもの未来を奪い取る」ということである。子どもの命が助かったとしても心に大きな傷を受けて、一生涯その傷に悩まされ続ける。心の傷は表面からは見えないが本人にとっては表現しがたい後遺症となってしまう。戦争が終わって八〇年近くも経っているのにと他人は思うかもしれないが、当人の心の内はいつも「戦争は終わっても終わらない」。国と国が平和条約を結んで戦争は形式的には終結しても、一人ひとりにとっては決して「終わらない」のが戦争だ。ましてや、子どもたちにとってはどうだろう。想像力を働かせれば、いかに戦争は悪か、残酷か、非道か、誰にでもわかる。にもかかわらず、「焼き場に立つ少年」の後も戦争は続き、大勢の「あの少年」たちを生んでしまっている。

戦争は大人の飽くなき欲望の結果だ。大人は自分も子どもだった時代があったことを思い起こしてほしい。お腹が空いたときの……小さな〝宝物〟を奪われたときの……親の帰りが遅かったときの……今から思えば些細なことでも、子どもにとっては心が本気で大きく揺れた。あの子どもだったときの嬉しかったり悲しかったりした自分の気持ちとじっくりと向き合えないだろうか。

子どもは天使ではない。だからこそ、暴力を肯定するようなゲームやアニメなどで子どもたちが影響される利益優先の社会であってはならない。それでも子どもたちは、大人のような欲には塗《まみ》れてはいない。だからこそ戦争は「カッコウ　イイ」ゲームなのではなく、格好が悪い大人の強欲の果てのことだと子どもたちに語っていきたい。未来は子どもたちのためにこそあるのだ、と。かつての私たちがそうしてもらったようにありたい。あの「焼き場に立つ少年」が背中におぶった幼子を降ろして燃え盛る火のなかに入れなくてもすむためにも。「戦争がもたらすもの」はいかに悲しく残酷なものか、私たちが共有し合うことでこの写真の意味が普遍的な存在感を発していくのではないかと思う。「平和を守ることができてはじめて未来がある」と語るオダネルさんの言葉を噛み締めている。

長崎、城山小学校、当時のままの壁

## 沖縄① 「囚われの人」画家・儀間比呂志と阿波根昌鴻『命こそ宝』

「囚われの人」と名付けられた版画を私の仕事場の壁に飾っている。これは沖縄の画家である儀間比呂志《ぎまひろし》さん（一九二三年生）の作品だ。夏、南風に吹かれながら彼のアトリエを訪ねたとき、丁度、版画の刷りを施そうと準備をしているところだった。挨拶もそこそこに私の目は作家の手元に引き寄せられた。丁寧に手を動かしながら素早く力強いさばき。絵筆に真黒い墨をたっぷりと浸して木版の上をなぞるように塗って和紙を慎重に重ねる。手に握った馬棟《ばれん》を押し当てていく。やがて墨が滲んで絵が現れはじめた。胸がときめく。「この瞬間がいちばん、緊張するんですよ。何年も、長い間やっていても……」と、私に話しかけるともなくつぶやく。白と黒で描かれた粗削りの彫りだからこその迫力と生命感が立ちのぼる。薄い和紙に刷られた作品「囚われの人」が宙を舞うように作家の両手の指先で躍った。昼下がりの太陽光が窓に反射して優しく作品を照らす。作家は太い腕で額の汗をぬぐった。

沖縄で生まれ、一六～七歳の頃、日本占領下にあったサイパンやテニアン（ともに北マリアナ諸島）に渡った。そこで彫刻家の杉浦佐助から彫刻を学び、舞台美術の手伝いなどをしていたが二〇歳で召集され、横須賀で終戦になった。「戦後、直ぐに沖縄に帰りたかったけれど汽車が大阪止まりだったので、結果的に大阪に住んだ」と話していた。若い儀間さんは大阪で美術を学び、上野誠に影響を受けながら版画の持つ力強さに惹かれた。結婚して家庭を築き息子

儀間比呂志さんと版画「囚われの人」、沖縄

にも恵まれた。

「しばらくして戻った故郷は戦乱の生々しい傷跡は残っていたものの人びとは生きる活気をよみがえらせていた。祭りや琉球舞踊、日常生活、民話などを題材に描いた」

　大阪と沖縄を行き来しながら、沖縄戦の体験談などを多くの人たちから聞いて回った。人びとは過酷な戦争で家族や友人たちを失った挙句に、米軍の難民収容所に強制的に入れられ、悲嘆に暮れながら屈辱的な日々を過ごした。故郷の人びとの語る戦争体験に憑かれるように版画で制作を進めた。「明確な刀の切れ味と、白と黒による強い対比の中から、これら、沖縄の民衆の怒りに満ちた叫びと、生きざまを浮かび上がらせようとした」（『版画集　儀間比呂志の沖縄』、海風社）。戦後、沖縄と本土との間に広まった精神の断絶を放置できない思いに駆られたのだろう。一〇〇枚以上にもなるだろう戦争版画はいずれも人びとが語った体験をもとに描いた真実だと言える。「まず沖縄を識ってもらおう」と次々と彫り続けた。そのきっかけになったのは『沖縄県史』の戦争記録に掲載された「わたしたちが味わったあの地獄絵図は、どんな小説にも、映画にも描きあらわすことはできませんよ」という言葉だった。儀間比呂志さんにとってそれができる表現方法の主体は版画だということだろう。

　そうしたなかの一枚が「囚われの人」だった。この絵を目にしたときに私は、一九四五年に太平洋戦争が終わっても存在し続ける米軍基地を抱える現在の沖縄を表現しているのかと思った。その思いは今に通じているからだ。元々は当時の難民収容所をテーマに描いたものだった。人びとは悔しくも悲しくもある胸の内を慰めるためにサンシン（三味線）を弾きたかった。けれど蛇革を張った従来のサンシンは戦火のなかで失ったので、米軍が捨てた缶詰の空き缶に紐を張って「カンカラ・サンシン」を作って奏でた。そうして人びとの気持ちのなかに少しずつ安らぎが広がっていった。

やがて難民収容所から解放され自由の身になったものの、まともにわが家に戻れた人は少ない。戦火で家も畑も崩壊してしまっていた。しかも、米軍は自分たちの基地を造るために人びとが戦前まで住んでいた家も土地も丸ごと奪った。反対の声を上げ抵抗すると銃剣を突き付けられ、これまで見たこともない巨大なブルドーザーで家や畑を壊されていった。こうして基地は拡大された。しかも、本土での米軍基地への反対運動によって、それらの代替として米軍占領下にあった当時の沖縄に次々に移転された。本土の人びとは撤去を喜び、一方、彼らの目には触れにくい沖縄に全米軍施設の七割以上が集中するに至った。本土の人は沖縄の人びとに自分たちのツケのほとんどを衝きつけることになって今日に至っている。

さらに、普天間基地を辺野古の「代替基地に移設する」とした日米合同委員会（沖縄に関する特別行動委員会／ＳＡＣＯ）による調印が一九九六年五月に交わされ、普天間基地を辺野古に「移設」することに合意した。辺野古で基地新設の工事が始まってすでに久しい。住民の七割が新設基地に反対を表明したにもかかわらず工事は続行されている。「沖縄はまるで日米の占領地になったようだ」と住民は口々に嘆く。

儀間比呂志さんはこうした沖縄の人びとのアメリカだけではない日本、日本人への不信感の実態を知らせたくて「囚われの人」という絵を本土から訪ねた私の前で新たに刷ったのだろう。戦争直後の米軍の難民収容所ばかりではなく日本政府からも鉄条網のなかに押し込められたと訴えているようだ。大空のもと自由に羽ばたく鳥がうらやましい……と、爪弾くサンシンの音色の切なさが聞こえてきそうだ。この「囚われの人」の絵は私の仕事場の壁を飾っているから私は年中この絵と向き合い、沖縄の人たちの思いに触れている。

他の絵は暮らしや祈り、祭りの場面も多く、くっきりとした白黒の版画に筆で水彩色を施すことによってウチナーンチュ（沖縄の人）の優しさや相手を思いやる心が滲み出ている。そのなかの一枚が縁あって私の手許にもある。色彩ゆたかな祭りを描いた「舞う　えーサ」。沖縄の本来の文化は色彩が豊かで鮮やかなのに、江戸末期の島津藩によって色彩を抑え込まれた歴史がある。けれど、祭りの絵の色には本来の姿が残っているようだ。

「生産と宗教と芸能は常に一体であり、〝用即美〟なのである」と儀間さんは語っている。彼の作品には、先祖代々から受け継がれてきた文化も宗教も生き方も、子々孫々に受け継いでいって欲しいという真なる願いが込められている。「もう描きたいものはみな描いた。最近の沖縄には以前のような独特の活気がないね。エネルギーもなくなって形だけになってきている。寂しいよ。リュウゼツランも見かけなくなったし。あれがあったらまた新しく描いてみたいね」と力なく語っていた。リュウゼツランを題材にした力強い作品は複数あるけれど、まだまだ描き足りないのかもしれない。七二年から沖縄を度々、訪れている私から見ても頷ける面がある。「ヤマト化した」と沖縄の友人たちは言うけれど、本土からの観光客に合わせるような雰囲気が年ごとに強まっていると感じる。沖縄がより沖縄化（琉球化）し、とりわけ文化的な面は昔日の姿にもどって欲しいと私や沖縄ファンたちは願うのだけれど……。

儀間さんにリュウゼツランの情報を伝えようと、沖縄の友人たちと車で探しに出た。なかなか見つからない。やっと、あった。車道からやや盛り上がった丘にボーボーと茂るように育っている。人間よりも背丈の伸びた緑色の肉厚な葉に鋭い棘がある。しかも数十年に一度しか咲かないと言われる花も咲いている。淡いユリの花のような花が三mほどもあろう茎の頂きに咲いていた。太陽の恵みと自然の力を誇示するような感じさえある。近づくと鋭い棘が風によって揺れながら隣の葉に傷をつけて、模様を描いたような不思議さがある。儀間さんはきっとこの棘も含めて気に入っていたのだろう。

リュウゼツランの丘から広がっている海の先には伊江島の黒っぽい形がくっきりと浮かぶ。御嶽《うたき》として信仰を集めているタッチューが中央にそびえて丁度、冠を抱いたような形の島だ。

儀間比呂志さんが召集されて戦地にいる間、伊江島の阿波根昌鴻《あはごんしょうこう》さん（一九〇一年生）は地獄のような戦争体験をした。一九四四年一〇月一〇日のいわゆる「十十空襲」で県全体が襲撃の標的にあったときに伊江島の日本軍滑走路なども破壊された。米軍は翌四五年四月一六日に伊江島に上陸して同月二一日までの六日間で島民の半分が「殺された」。しかもその後、島民には知らされることもなく島の六三％が米軍用地に接収された。

阿波根さんが少しずつ購入していった土地の四万坪も含まれていた。これは、内村鑑三などの影響を受けて伊江島にデンマーク式農民学校の建設用地として構想していたものだ。息子は農業学校を卒業して代用教員になり夢の実現を共有しながらふたりの目標達成に向かっていた。「そこに戦争がおきた」。息子は兵役の年齢にも達していないのに徴兵されて「沖縄本島の浦添のあたりで戦死」した。夢を実現させるべく買い集めた土地も戦闘が終わって間もなく、「銃剣とブルドーザー」で打ち砕かれ、基地として強奪された。「思い出すだけで苦しい」思いをさらに味わわされる歳月となった。明日への希望もなくなったがこのまま黙ってはいられない。

阿波根昌鴻さん、沖縄

米軍に対する土地闘争をするために、人間としての生きる知恵を教える農民学校が必要だとの思いが強まっていった。

六三歳になっていた一九六六年に、阿波根さんは自分も学校で学ぶ必要があると思い通った。米軍との交渉にはお人好しの農民ではいられないと、授業のメモを取ったノートは三一冊にもなった。「残された道は反戦地主運動」を率先することだった。米軍は沖縄のことも日本のこともかなり研究していたため、事務的な交渉では負けてしまうと考え「心の勉強」にも精を出した。

「私たちの宅地に元どおり家を作り、早く土地を返してもらう以外に何の望みもない」と繰り返し米軍に主張した。平和と戦争をテーマにした資料館「ヌチドゥタカラの家」を一四年がかりで一九八四年に完成させ、その後、身障者たちの交流の場所としての「わびあいの里」も多くの人たちの協力を得て造った。

彼は「ヌチドゥタカラ（命は宝）」を訴えながら二〇〇二年に亡くなるまで、生涯にわたって「心の声」を上げ続けた。

戦《いく》さ世《ゆ》んしまち　（「戦世」は終わった）

みるく世《ゆ》ややがて　　（平和な「弥勒世」がやって来る）
嘆くなよ臣下　命《ぬち》どぅ宝　（嘆くなよ、おまえたち、命こそ宝）

ときどき訪れてはいたが最後に会ったのは一九九七年。九四歳になり目も見えにくくなっていたが、滔々とした語り口も品性の良さも知性も相変わらずだった。ウチナーンチュが米軍と日本政府のはざまに置かれて、今もって戦争が終わったとは言えない苦悩が続いている状況を阿波根昌鴻さんは寂しげに語っていた。沖縄の「百日戦争」は終わっても、彼の戦いに終わりはなかった。あの世で再会したであろう息子に、あの人懐こい笑顔で夢の実現を報告できなかった彼の無念はいかばかりか。彼の人生で最も長く苦しかったのが戦後の日々だったろう。本土では米軍基地の撤廃や激減に喜んでいたのだが。

この島に生きた阿波根さんは戦争を「思い出すだけで気絶してしまうほどの苦しみ」と彼の著書『米軍と農民』・『命こそ宝』（岩波新書）でも綴る。

地獄のような一端であっても、その島で生き残った人たちから直接に体験談を聞かせてもらえればと訪ね歩いた。

山城ヨシさん（一九一二年生）の夫は防衛隊で戦死し、子ども八人のうち五人が戦場で亡くなった。平坦な島で、軍艦とも呼ばれていた。山城さんたち住民は身を隠すにはタッチュウ（標高一七二m）しかないために、その周りをただただグルグルと逃げ回り、自然壕を見つけて隠れた。けれどそこには日本軍がすでに隠れていた。

「同じ壕にいた日本軍から『幼い子は殺せ』と命じられました。幼子を抱えた女性は『友軍に殺されるよりは、私のこの手で』と言って泣きながらタオルを子の口に詰めた。こんな酷い状態で生きる望みはありません。敵は米軍かと思っていたら友軍（日本軍）でもあったんです。仲間に裏切られた思いです」

山城さんの深い皺は苦労を絵にかいたようでもある。時折、深く沈み込むように下を向き、また顔をあげては遠くに視線を送る。何かを見ているわけでもなく、多分、当時の地獄のような戦場に引き戻されているのだろう。冷静さを保とうと努め整理しながら淡々と話すその黒い瞳に始終、涙が浮かんでいた。

「兄が『友軍に殺されるよりは自分たちで死のう』とダイナマイトの導火線に火を点けたんです。でも、途中で消えてしまった。ガッカリしているところに、米軍が『デテコイ、デテコイ』と言ったので壕から出ました。助けてくれたのは米軍でした。友軍は捕虜になることを極力、禁じていたので出るときも怖かったです」

島内に潜んでいた日本軍によって住民虐殺や強制的な自決が次々に起こった。大城サダさん

（一九〇三年生）は「日本軍と同じ壕にいました。分隊長は外へは一歩も出ずに、命令だけでした。出陣した兵隊は誰ひとり、戻って来ませんでした。住民には方言の強い人もいて、『スパイだ』と決めつけられ殺されたんです。酷かったね。日本軍は私たちを守らないどころか、戦争という非常な事態のなかで罪にならない殺人をやったとしか思えません」と怒りを露にした。

サダさんの娘ヨシさん（一九二四年生）は、「日本軍のなかには良い人もいたろうけれど、住民を守らないのが日本軍だと思いました。戦後、変わったとは思えない」と憎しみを抑えるような表情で言った。彼女の夫は召集されたが無事に帰還できた。けれど、土地を失ったために南米の移民となり、初めて里帰りをした。その際に私は彼女から話を聞くことができた。伊江島では六割以上の土地を米軍に接収されたために農民たちのなかには海外に新天地を求めた人が少なくなかった。伊江島ばかりではなく、沖縄からは同じような理由で大勢の農民たちが海を渡っていった。

伊江島の住民が嘗めさせられた辛酸の多くは阿波根さんの言葉を裏付ける。米軍は住民を避難させようと呼びかけたものの、捕虜になることを禁止した日本軍の『戦陣訓』が住民に伸し掛かった。伊江島ばかりではなく沖縄全島でも実施された。そのために壕に逃げ込んだ人たちも日本軍に追い出されたり、捕虜になることを禁じられたり、そうしたことによる悲劇は随所で起こった。

伊江島の野崎オトさん（一九〇二年生）は姉弟、いとこ、友人の妹ら六人と一緒に同じひとつの壕にいた。「壕内の兵隊から私は用事を言いつけられて、少し離れた所へ出かけた。その直後、米軍の砲撃を受けて壕が全壊した。紙一重だった。他の五人も日本兵もみな亡くなった。……しばらくして、別の壕から解散命令の伝令が届いた。もう少し早かったら、みな助かったのに。残念だし、今でも悔しい」

崎山キクさん（一九一八年生）の妹の絹さんの遺骨が自然壕から発掘された。彼女は洋裁学校に通う若い女性だった。キクさんは自衛隊員が壕のなかから発掘した頭蓋骨を目にするなり、「あぁ～、絹だ、絹だ」と泣き出した。頭蓋骨はみな同じに見えるけれど、遺族にとってはわかるものなのかもしれない。「ほら、鼻の形が私に似ているでしょう。この鼻のカーブに特徴があるんです。絹ですよ」と私に何度も何度も言いながら、他の遺骨と一緒に台座に安置されるといっそう近づいて手で頭や顔、鼻を撫でまわした。ようやく再会できた妹を愛おしみ哀れんで、キクさんは心底から抱きしめたいのだろうと思った。

この壕も米軍の砲撃や火焔砲で焼かれた。住民だけだったら助かっただろうに……との思いが誰の胸にも私にも湧き上がった。

伊江島

人びとの戦時中に体験した話は尽きない。「話すと眠れなくなるから……」と口にしながらも、語り始めると止まらなくなる人もいる。それだけ「わかってもらいたい」「知って欲しい」との強い思いがマグマのように噴き出すのだろう。「昨日のことのように何もかも、覚えている」という言葉を何度も耳にした。きっと当時に引き戻された感情の高ぶりは私が暇を告げた後も引くことはなく、夜になってもいつまでも胸苦しさのなかにあったことだろう。

彼らの伝えて欲しいとの願いは必ず守る……と、自分に約束しながら連絡船に乗った。薄暗くなった黒い海に伊江島の人たちの凄まじい体験が重なり、戦後の混乱と侮辱を味わいながらも生き抜いてきた人びとに敬意を払う思いでいた。

儀間比呂志さんの戦争をテーマにした版画の題名は「もうたくさんだ」「犠牲者」「沖縄人はみなスパイだ」そして、「蹂躙」「島を返せ」「さけび」などがあり、力強い画風と高い芸術性をもって私たちに忘れてはならないと訴えている。沖縄県立美術館で儀間比呂志展が開催されたとき、私は作家本人と一緒に会場を訪れた。本物の絵がずらりと並んだ会場の迫力に圧倒されながら、並んで歩いた。「とんぼ」という作品の前で私の足は床に張り付いたようになった。それは、トンボに見立てた米軍機が地上を逃げ惑う女性や子どもに襲いかかる光景が大きな画面全体に鋭い刃の切れ味で、白と黒の強い対比をもって描かれていた。巨大な目を持って両羽根を空中いっぱいに広げたトンボが突進してくる。凄まじい。昆虫のトンボに愛着を持っている私は戦争になるとトンボまでもが「とんぼ」になるのかと暗い気持ちになった。画家の創作力の深さに改めて敬意を抱く。
「孤児」として絵に描かれたあの子たちは大人になったことだろう。そして今や、「おじい」「おばあ」になって、戦争を知らない世代の孫たちと笑みを交えながらあれやこれや語らっていることだろう……。

往時に比べてめっきり減ってきたのがサトウキビ畑だけれど、それでも広大な光景だ。土と草の農道を歩くと海の方からの風が爽やかだ。葉と葉を擦り合わせる微かな音があちらこちらから聞こえてくる。「ザワワ・ザワワ……」という歌のようなメロディーが聞こえてきそうだ。サトウキビからできる黒糖が沖縄の特産のひとつになっているだけに、キビ畑が昔から全島を被うようだった。戦中は隠れ場にもなったけれど「地形が変わるような艦砲射撃」に遭い、人びとの隠れる場所は失われていった。キビ畑を歩くと大勢の人たちの顔が浮かんで胸がいっぱいになり、ひとりでに涙がにじんでしまう。いまだに本土並みの扱いにならない沖縄の現実に、ウチナーンチュが哀しく愛おしく思えてくる。

## 沖縄② 高校生の詩「みるく世がやゆら」

取材ノートに挟んでいた古い少女の写真が私の手もとにある。沖縄戦末期にアメリカ軍の撮影班が撮影したムービーをコピー写真にしたものだ。元の動画を見ると、少女は爆弾の土埃を頭から全身に被ったように汚れて裸足だ。ガレキとなった石だらけの地面に腰を下ろして、大きく眼を見開き緊張感を漲らせて全身をブルブルと震わせている。アメリカ兵が彼女に声をかけているが、震えは止まらない。

沖縄では知られた映像（写真）だ。NPO法人「沖縄戦記録フィルム1フィート運動の会」で繰り返し上映されてきたので私も以前から何度か見て知っていた。けれどこの少女が健在なのかどこで暮らしているのかなどは長いことわからなかった。ようやく判明した後の二〇一九年に私は那覇市内に住む「震える少女」を訪ねた。住宅地の路地を進んだところにあの少女、浦崎末子さん（一九三八年生）の住まいはあった。

「あのときはただただ怖かった。アメリカ人を見るのは初めてだったし、目がヒージャーミー（山羊の目）のように青くて、とにかく怖かった」と、笑みを浮かべながらも恐怖心を隠せない表情で当時のことを語った。

沖縄の墓は大きいこともあって戦時中は防空壕の代わりに女性や子ども老人は手荷物ひとつで身を隠した。末子さんと家族もその一員だった。ところが隣の墓が砲撃を受けたことを知っ

沖縄、浦崎末子さんと米軍が撮影した動画

て移動し、母と弟、姉と末子さんの二手に分かれて隠れ場を探すことになった。そうした最中に姉が母と弟を捜しに行ってしまい、ひとりだけで家族を待っていた。丁度そのときにふたりのアメリカ兵がやって来て末子さんを撮影したのが「震える少女」の映像だった。現在の糸満市（本島南部）の農道でのことだ。

当時の越来《ごえく》村（現沖縄市）にあった米軍捕虜収容所に姉と共に連れていかれ、「その移動中に沖縄戦が終わったことを知った」。艦砲射撃で負傷した母と弟にその収容所で再会できた。その後、収容所を点々と回されるなかで催涙弾のガスを受けて弱っていた弟は間もなく亡くなった。爆弾のガスで不調になっていた姉も二年後に息子を産んで直ぐに亡くなった。お腹に破片を受けた母は生きながらえたが、結局、弟と姉は戦争の犠牲者となった。防衛隊だった父親は首里で、衛生兵だった兄も戦死して遺骨もなく、親戚を合わせて一三人以上が亡くなった。生き残った姉が生前よくこう言っていた。

「イクサユー　ヤ　ネーンセーマシ　イクサーユー　ナイネー　クヮ　ンマガ　ウラン　サイサヤー」（戦世はない方がいい　戦世になったら　子や孫も　いなくなるよね）

米軍の収容所は随所に造られた。末子さんたちのように収容所に入れられたことで結果的に命拾いした人たちも少なくなかった。とりわけ女性、子ども、お年寄りといった民間人にとって戦闘の最前線は危険に満ちている。そのなかで末子さんは「アメリカーに二度、助けられました」と呟いた。食料はなく飢餓状態で逃げ惑う恐怖の日々で、そのあげくアメリカ兵に救い出され、二度目は食料のある収容所に入れられたとのことだった。戦争の敵はアメリカ軍ではあったけれど、自分を戦場から救い出してくれたのは日本軍ではなかった。戦火で惨憺たる思いをした沖縄の人たちのなかには末子さんのような複雑な思いの人が少なくない。

米軍捕虜収容所は日本兵の収容を目的にしていたのだろうが、沖縄の防衛隊員ばかりか子どもを含めた民間人も大勢が収容された。

沖縄の人たちは昔から音楽と踊りといった芸能に気持ちを慰められてきただけに、収容所内でもやがて沖縄民謡を歌い、琉歌にメロディーをつけた。すべてを失った人たちの手元に、民謡に欠かせないサンシン（三味線）はない。米軍の大きな缶詰の空き缶で手作りした。儀間比呂志さんが版画に描いた「囚われの人」でも触れたような「カンカラ・サンシン」だ。あちらでもこちらでもサンシンや琉歌が生まれた。そのひとつが「屋嘉節」だ。

一九四五年六月二三日の沖縄戦終了直後、米軍は本島北部の金武《きん》村《むら》屋嘉《やか》集落を焼き払ってブルドーザーで整地し、収容所を造った。投降した日本軍将兵らや沖縄人防衛隊員、民間人など約七〇〇〇人が収容された。その収容所内で即興的に生まれた唄が幾つもあった。いずれも嘆きと希望が入り混じっている。今でも歌い継がれているもののひとつが「屋嘉節」だが、歌詞は微妙に異なるものが幾つかある。金城守賢の歌詞がよく知られているようだ（作曲、山内盛彬）。

一、なちかしや沖縄　戦場になやい　世間御万人ぬ袖ゆ濡らち
（読み）なちかしや　うちなー　いくさば　になやい　しきん　うまんちゅぬ
すでぃゆ　ぬらち
（意味）悲しい（の）は沖縄　戦場になり　世間御万人の袖を（涙で）濡らして

二、涙飲でぃ我んや恩納岳登てぃ　御万人とぅ共に戦凌じ
（読み）なだぬでぃ　わんや　うんなだき　ぬぶてぃ　うまんちゅとぅとぅむに
いくさしぬじ
（意味）涙（を）飲んで　私は恩納岳（に）登り　多くの人と共に戦（を）凌いだ

三、あわり屋嘉村ぬ闇ぬ夜ぬ鴉　親うらん我身ぬ　泣かんうちゅみ
（読み）あわりやかむらぬ　やみぬゆぬがらし　うや　うらん　わみぬ　なかん
うちゅみ

（意味）哀れ　屋嘉村の闇の夜のカラス（よ）親（が）いない私が泣かないでいられるか

四、無蔵や石川村　茅葺きの長屋　我んや屋嘉村の砂地枕
（読み）んぞや　いしちゃーむら　かやぶちぬながやー　わんややかむらぬしなじまくら
（意味）貴女は石川村茅葺きの長屋　私は屋嘉村の砂地（が）枕

五、心勇みゆる四本入り煙草　さみしさや月に流ちいちゅさ
（読み）くくるいさみゆる　しふんいりたばく　さみしさや　ちち　にながちいちゅさ
（意味）心励ますことができるのは四本入り煙草　淋しさは月に流していくよ

このような意味合いを持った琉歌《りゅうか》が今の若者にも受け継がれていることをどう思うか……？と、末子さんに尋ねた。彼女は涙ぐみながらあの当時に思いを込めて「嬉しいことよね」と言った。そのきっかけは二〇一五年六月二三日の本島最南端の摩文仁《まぶに》にある平和祈念公園で行わ

れた沖縄全戦没者追悼式典での高校生の詩「みるく世《ゆ》がやゆら」について話題にしたときだった。

式典が行われる会場に隣接した「平和の礎《いしじ》」には、大勢の人たちが集まる。戦火で亡くなったウチナーンチュばかりかヤマトンチュ（内地人）、朝鮮半島の人、台湾人、アメリカ人など沖縄であの戦争に関わって死亡し名前がわかっているすべての人の約二四万人が刻まれている。石に名前が彫られているだけだが実にリアリティに満ちている。太陽が燦々と照り付ける日も、雨の日も、大勢がここに詣でて名前に話しかけ、優しく手で撫で、ゆっくりと指でなぞる。祖父母の顔を見上げながら一緒に来た孫たちも同じように繰り返す。そうした姿を目にして、ああ、伝わっているな……繋がっていくな……と私は呟き胸を熱くしながらカメラを向けた。

そのなかのひとり、小浜七虹《なと》くん（八歳）は祖父母たちに連れられて来ていた。彫られた親族六人の名前を私に紹介してくれながら、「今は平和でいいけれど、戦争の時代に生まれていたらほんとうに大変だろうと思う。戦争の悲しさを強く感じる。特にボクと同じ八〜一〇歳くらいの男の子が餓死したんだ。遠い話じゃないね……」と凛々しい表情で話してくれた。その後、何度か七虹くんに会う機会を得た。母親たちも交えながら中学生になってからの授業、部活のバスケット・ボールなどの話で盛り上がった。

小浜七虹くん、沖縄

「プールで泳いでいたとき、いま戦争だったら……なんて考えたことがあった。胸が詰まって溺れそうな気分になった。でも、平和だからこそのボクたちなんだよね」と語る七虹くんの横顔に頼もしい青年像がふと浮かび、希望を感じた。

歳月の過ぎるのは早いもので、つい数年前に会ったと思いながら七虹くんに電話を掛けると彼はすっかり青年の声になっていた。高校を卒業して県内の公安職に関する専門学校に通っている。「誰かのために役に立ちたいと思って。戦争のない世の中で、人びとが平穏に暮らせるように守る仕事がしたい」と一語一語、自分にも言い聞かせるように夢を語った。「広く社会を見たいし経験もしたいけれど、最後は沖縄に戻って仕事をしたい」と付け加えた。〈青年よ大志を抱け〉という北海道大学のクラーク博士の言葉を重ねながら電話の向こうの沖縄の七虹青年に大いなる未来を感じ頼もしく思った。

大勢の七虹くんのような子どもたちに会うのが楽しみで、毎年のように「平和の礎」を訪ね、平和式典に参列し、(二〇二〇年、二一年はコロナ禍で身動きが取れなかったが)これまでにも多くの子どもたちからすてきな言葉を聞いてきた。そして私のもうひとつの楽しみは式典会場で詠まれる子どもの詩の朗読だ。毎年六月二三日は暑い日が多いけれど、平和祈念公園で行われる沖縄全戦没者追悼式典での詩を聞きながら沖縄が背負わされてきた苦難と失わない文化の確かさを想い感慨深いものを覚える。

二〇一五年、その日は梅雨明けの炎天下だった。朝からの撮影の疲れもあって私の身体は萎え気味だったにもかかわらず、この詩の朗読が始まるや否や緊張感に包まれ、やがて胸がいっぱいになって耳を澄ました。高校三年生の知念捷《ちねんまさる》くん（一七歳）の詩で、「みるく世《ゆ》がやゆら」。「今の世は平和でしょうか」という意味だ。

「みるく」とは弥勒菩薩のことで、一八世紀末にベトナムの「ミロク祭」が八重山諸島に伝わったものが土台になっているという。西表島で私も撮影したことがある。節祭《シチサイ》と言って古い暦にのっとって農耕暦の元日にあたる日の早朝から弥勒《ミルク》の神を先頭にした行列が集落を練り歩き海岸の方へと向かう。この世の安寧と祖霊たちへの感謝、そして豊作と繁栄に祈りを込める。この弥勒菩薩から「みるく」を「平和」になぞらえて詠んだ一片の詩は私たちに重い問いかけをする。

彼の詩にじっくり目を落として文字を辿ると深いものが伝わってくる。やや長いけれど、引用したい。

「みるく世《ゆ》がやゆら」
平和を願った　古《いにしえ》の琉球人が詠んだ琉歌《りゅうか》が　私へ訴える

「戦世《いくさゆ》や済《し》まち　みるく世《ゆ》やがて　嘆《なじ》くなよ臣下《しんか》　命《ぬち》ど宝《たから》」
七〇年前のあの日と同じように
今年もまたせみの鳴き声が梅雨の終わりを告げる
七〇年目の慰霊の日
大地の恵みを受け　大きく育ったクワディーサーの木々の間を
夏至南風《かーちーべー》の　湿った潮風が吹き抜ける
せみの声は微《かす》かに　風の中へと消えてゆく
クワディーサーの木々に触れ　せみの声に耳を澄ます
みるく世《ゆ》がやゆら
「今は平和でしょうか」と　私は風に問う
花を愛し　踊りを愛し　私を孫のように愛してくれた　祖父の姉
戦後七〇年　再婚をせず戦争未亡人として生き抜いた　祖父の姉
九十才を超え　彼女の体は折れ曲がり　ベッドへと横臥《おうが》する
一九四五年　沖縄戦　彼女は愛する夫を失った
一人　妻と乳飲み子を残し　二十二才の若い死
南部の戦跡へと　礎へと

夫の足跡を　夫のぬくもりを　求め探しまわった
彼女のもとには　戦死を報《しら》せる紙一枚
亀甲墓に納められた骨壺《こつつぼ》には　彼女が拾った小さな石
戦後七〇年を前にして　彼女は認知症を患った
愛する夫のことを　若い夫婦の幸せを奪った　あの戦争を
すべての記憶が　漆黒の闇へと消えゆくのを前にして　彼女は歌う
愛する夫と戦争の記憶を呼び止めるかのように
あなたが笑ってお戻りになられることをお待ちしていますと
軍人節の歌に込め　何十回　何百回と
次第に途切れ途切れになる　彼女の歌声
無慈悲にも自然の摂理は　彼女の記憶を風の中へと消してゆく
七〇年の時を経て　彼女の哀しみが　刻まれた頰を涙がつたう
蒼天《そうてん》に飛び立つ鳩を　平和の象徴というのなら
彼女が戦争の惨めさと　戦争の風化の現状を　私へ物語る
みるく世《ゆ》がやゆら
彼女の夫の名が　二十四万もの犠牲者の名が

刻まれた礎に　私は問う
みるく世《ゆ》がやゆら
頭上を飛び交う戦闘機　クワディーサーの葉のたゆたい
六月二十三日の世界に　私は問う
みるく世《ゆ》がやゆら
戦争の恐ろしさを知らぬ私に　私は問う
気が重い　一層　戦争のことは風に流してしまいたい
しかし忘れてはならぬ　彼女の記憶を　戦争の惨めさを
伝えねばならぬ　彼女の哀しさを　平和の尊さを
みるく世《ゆ》がやゆら
せみよ　大きく鳴け　思うがままに
クワディーサーよ　大きく育て　燦燦と注ぐ光を浴びて
古のあの琉歌《うた》よ　時を超え今　世界中を駆け巡れ
今が平和で　これからも平和であり続けるために
みるく世《ゆ》がやゆら
潮風に吹かれ　私は彼女の記憶を心に留める

## みるく世《ゆ》の素晴らしさを　未来へと繋ぐ

　気が付くとどこからか風が吹いてくるようでもあった。大きな拍手が沸くなか、私の脳裏にこれまで話を聞かせてもらった人たちの表情や言葉などが重なっていた。会場にいた多くの人たちが自分のあの日々、親や親族たちのことを想っていただろう。そこここで涙ぐむ人たちの姿を目にしながら、戦争を体験した人たちから聞いた「ンニ　ヒッチリ　クヮーリン」（胸＝心が引きちぎられる）と身体の奥底から突き出されたような言葉を想い出した。

　一二歳で戦火に投げ出された照屋陽さんの顔が浮かんだ。彼は沖縄の人特有の大きな眼の奥に、暗い影を滲ませていた。砲弾の破片を受けて頭にも手足にも傷跡が残っていたが、特に左顎には生々しい跡が刻まれていた。「こんなにやられても生きていたから不思議だ」とふり返りながら、「爆弾の嵐、家族や人びとの死、日本軍の姿など忘れられないことばかりだ」と、しばし目を閉じた。

　陽少年らが死傷したのは民間人が自分たちのために掘った防空壕からも、やがて移動した自然壕からも日本軍にことごとく追放されて小屋や木の下に隠れるしかなかったためだと言う。こうした言葉は多くの戦争体験者から聞いた。それでも、日本軍の傍にいると守られて安全かと思って付いて回った。「母とふたりで最南端の自然壕に辿り着いたときも、日本軍から『入って来るな！　出ていけ！』と怒鳴られました。けれど砲弾の嵐のなか、もう動けなくて壕の入口の傍にへたり込んだ。梅雨時だったから雨も多く、流れてきた水は死傷者の血で染まっていた」

父親、妹、兄が次々と砲弾にやられ、陽少年は母親とふたりになっていた。他の人たちと一緒にさらに南部へと向かう途中で砲撃に遭い、簡素な作りの馬小屋に隠れた。その目の前の道路にふたりの日本兵が五～六人の朝鮮人兵士を伴って現れた。米軍の爆弾の嵐が続く最中に、「日本兵は『弾薬所から弾を運んで来い』と大声で彼らに命令した。彼らは恐怖心から青ざめ、泣きじゃくり震えていた。すると見せしめのようにひとりを激しく殴り殺した」。そこにいた人たちはみなその様子を見ていたが、何もできなかった。

また別の自然壕の入口にふたりが辿り着いたときやはり日本兵に拒否されてなかへは入れずにいた。激しい米軍の爆撃の最中で動けなかった。日本兵から沖縄の少年兵が水汲みを命令されたのを陽さんは目の前で見た。痩せた少年兵は爆音のなかで敬礼し「水汲みに行ってきます」と言った。その彼が水汲み場に俯せの姿勢で死んでいるのを後で見つけた。「日本兵のなかには優しい人もいて、私の足が枝などで傷だらけになっていたのを見たその兵士は『坊や、おじさんが抱いて歩いてあげよう』と言ってくれた。そうした優しい兵士もいたけれど、多くの日本兵が残虐で、今でもつい最近のことのように目に焼き付いています。とても辛い」

みるく祭、沖縄

「一〇〇日戦争」はようやく終わった。学校は青空の下だったが、やがて米軍の払い下げのようなテント教室になった。教育は一八〇度も変わったので教員の半分ほどが逃げるように去り、なかには米軍施設や基地で働き出す人もいて教員の人数は激減した。そのため現在の琉球大学では学生を短期間養成し、教員として現場に送り込んでいた。照屋陽さんは琉球大学の美術に進み美術の教員になった。

「今でも雷の音は戦時中を想い出してとても怖い。道路工事の音も戦車を想像したり、どこかの国が攻めてきたかと緊張してしまう」と、トラウマが強く残っている心身の状態を繰り返し言葉にした。戦争は一二歳の少年の家族を奪い、生涯にわたって魔の記憶に悩まされる深い傷を刻み込んでしまった。彼ばかりでなくこうした人びとの話を聞くたびに、戦争は終わっても終わらないのだと私は繰り返し痛感する。同時に今もなお戦争によってもたらされた大量の米軍基地が人びとを圧迫し悩ませている。それらは暮らしや文化を押しのけて否応なくイデオロギーを伴う政治に引き込んでいく。

こうした悲観的な状況でも、さまざまな苦難を乗り越えながらも高校生が「みるく世《ゆ》がやゆら」（今の世は平和でしょうか）と問いかける。それを私たちはどのように受け止め応えていったらいいかと思案しながら、私の心のうちには琉球特有の歌や美術、芸能といった多様な文化を豊かに育ててきた人びとへのえも言われぬ思いが満ちてくる。

# 第四章　本当の共生と共存について

## ニューギニア①　精霊と共に森で暮らす高地民

井の頭公園の緑の樹木が例年になく鬱蒼と茂っているように見えるのは気のせいだろうか。それとも、コロナ禍が続いていることで人出も車も少なくなり空気が澄んできたからだろうか。緑にカメラを向けながら、持て余し気味の気持ちの収めどころをレンズの先にさがしていて、ふと蘇った光景があった。比較するには無理なことだとは思うけれどイメージがイメージを呼んだ。そこは南のニューギニア島。極楽鳥《フウチョウ》が飛ぶような形をした世界で二番目に大きな島で、日本の約二倍もの広さがある。密林は数メートル離れただけでも相手の姿が樹木に潜って見えなくなるほど深い。東京の公園と南の密林の地とを重ねるとは無謀ともいえる。

それでも私には違和感はない。たぶんそれは、脳裏にいつも島の東側半分のパプアニューギニアで過ごした計一〇か月余りの歳月が浮かんだり沈んだり……を繰り返しているからかもしれない。それほど彼の地は私にとって忘れがたい地だ。そのうえ私の仕事場の窓際にはニューギニアから持ちかえった小ぶりながら本物の仮面や彫刻、首飾りや櫛、矢や石斧などの調度品が所狭しと並べてある。目にしない日はない日常の光景といえる。

パプアニューギニアを強く意識したのは私が二〇代の学生時代に遡る。友人の家で『メラネシアン・アート』というモノクロームの洋書の写真集を見て胸がときめき、ページに惹きつけられたことがきっかけだった。そこには壁画や仮面、彫刻などのメラネシアン・アートの数々がモノクローム写真ながら凄まじい迫力を持って並んでいた。人間の魂、否、生き物すべての魂を描いたとも言えるものだと思った。心臓と血管の隅々までを血液がとくとくと流れて循環していることが私の心にストレートに迫ってきた。心身を丸ごとわし掴みされたようなその驚きと体験が私の始まりだった。それらのアートはいったいどんな人たちが創ったのだろうか。人びとの生き方や暮らし方によってこそ生み出されたアートの数々に違いない。文化の背骨を支える魂や精神的なものの片鱗にでも触れて写真に収めたいと強く願った。ドキドキ感は長らく続いたが実際に訪れることはできず、私は地図を広げては想像しながら指先で辿って頭のなかで旅を重ねていた。

一九七一年、オーストラリアでの仕事があり、その足で太平洋の一画のメラネシア地域にあるニューギニア島の半分を占めるパプアニューギニアへと飛ぶことにした。二〇代の娘がひとりで行くところではないと、メルボルンでもシドニーでも、友人、知人から何度も止められたけれど、私の意志は固かった。

飛行機は首都ポートモレスビーに着陸した。辺りはただの広っぱのように閑散とし、遠くに小屋が一軒ポツンと見えるだけだった。そこが出入国管理施設の建物だった。太陽光は強くて暑くて眩しい。近づくと誰もいないと思った小屋の黒い影のなかに黒い肌の人たちが何人もじっと立ってこちらを見ていた。さらに近寄るとその人たちの目は大きい。内側から強い光を放っている。たとえると、漫画で目を強調するときに放たれて飛ぶ矢を描くように、何本もの矢が黒光りする瞳から飛び出して来るようにこちらを見ていた。そのような瞳に会ったのは初めてだったので緊張して私の身体は硬直してしまい、機内から降ろされてきた自分の荷物を捜すのも忘れるほどだった。その後、ニューギニアへの旅を七九年まで何回か繰り返したが、行く先々でその瞳に出会った。

壁の飾り物はそうした旅のなかで贈られたり買ったり、私の持ち物と物々交換をしたりして手にしたもので、一つひとつどれにも思い出が詰まっている。村から村を転々と移動していくうちに、地域ごとの部族の風習、衣装、顔立ちの違いなどもわかるようになった。宿は町にはあるが村にはないので、その村のリーダーにお願いして泊めてくれる家族を紹介してもらいお世話になるといった旅だった。

ニューギニア島の東半分を「パプアニューギニア」、西側はインドネシア領の「イリアンジャヤ」で、私が旅したのは東側の方だった。彼らを総称して「パプア人」と名付けられたのは、直毛のマレー人が縮れ毛の人びとを見て「縮れ毛の人＝パプア人」と呼んだことがきっかけでそれが定着したという。高地ばかりか低地の住民はみなパプア人ではあるけれど、部族は少なくても五〇〇以上あり、言葉はみな違うから簡単には通じ合えない。二〜三〇〇〇m級の山脈

パプアニューギニア、ロパさん(向かって右)

が島の中央を背骨のように走り、高地民はその山々に昔から住んでいる。

山々は高くて険しいから、目的地の村まで時間がかかると途中で野宿かキャンプをしなくてはならない。けれど、たいていはどこかの村に寄り道して宿を借りた。移動しながら途中で得た情報を元にしてさらに移動することもあれば、一か所の村に長居するなどさまざまだった。登山の心得のない私にとってはかなり厳しかった。けれど、休憩が増えれば目的地への到着も遅れるから強行軍で、何とか到着して村人たちに会う。すると疲れは吹き飛んだ。人びとの暮らしぶりや習慣などが取材できると思うと期待感でわくわくした。

長らく滞在したある村で宿を提供してくれたのはロパという女性だった。彼女は若くて美しく優しくて、私を妹のように世話をしてくれた。実際は私の方が歳上だったと思うけれど。彼女のおかげで多くの子どもたちと仲良くなり、女性の友だちもできた。その村を離れるときには別れを惜しんで彼女たちは顔に消し炭でハの字で下がった眉と頬に流れる涙を描いて見送ってくれた。

女性たちからは特殊な草を食べて避妊すると聞いたので、その薬草が生えている裏庭に案内してもらった。丈が五〇㎝ほどで葉の形や色、そして味もショウガのようだった。パプア人と呼ばれるニューギニアの人びとは一夫多妻の習慣を持つ部族が多いけれど、ひとりの母親は三人の子までしか持たない。亡くなるとまたひとり産むこともあると言う。その理由を尋ねると

「森が壊れてしまうから」。この話は部族が変わっても耳にした。鬱蒼と茂っている森はどこまでも広大に続いて見える。けれど人びとは真剣に自然を守ろうとしていた。人口が増大することで打撃を受けるのは自分たちだと皆が考えている。今、地球の人口は急増し、食料難や温暖化といった環境破壊にも悩まされている。ニューギニアの人たちも昔からそうした危険状態になることを予知しながらお互いに知恵を絞り共有し、抑制し合って暮らしてきたに違いない。パプア人を「野蛮」だとさげすんでいる先進国の文明人の方がよほど「野蛮」で「我欲」が強いのではないだろうか。

多くを考えさせられながら、私は次第に人間と自然のあるべき関係について自問自答を繰り返した。そうしたときはあまり移動しないことが多くなった。ひとつの村に長らく滞在していると、次第に私の存在が噂になってほかの村々へと広がっていった。村と村の距離はあっても人びとの足では「すぐそこ」らしく、日を追うごとに私を「見に来る人」が増えて「人気者」になった。どこにいても私を取り囲んであの大きな黒い瞳から矢が放たれたように見られる。足の先から頭、持ち物、手の動き、ノートにメモを取っていると首をかしげながら嘗め回すようにペン先の動きを追う。一挙手一投足を注目されるのに、さすがに私は動物園のサルではないと訴えたが、「サルより面白い」と返ってきた。ニューギニアにはサルはいないので有袋類のカンガルーのような小動物カスカス（クスクス cuscus）だと、同じ部族の通訳が部族語から英語に通訳してくれた。
部族が違うと言葉が通じないから現地の人たちもお互いに通訳を必要とする。首都ポートモレスビーで通訳を頼んだときには通訳の通訳が必要になるといった二重通訳となった。それ以降は懲りてなるべく同じ言語の人を頼むことにした。小学校では共通言語のひとつである英語で授業が行われていたので教員や卒業生を通訳者として紹介してもらうことが多かった。地域によって通訳者は変わるけれど、部族語と英語の〝直球〟がほとんどだった。小学生といっても一五、六歳だろうか。その頃は山奥の村人が小学校に通うこと自体が困難な時代だったから日本のように六歳で入学するとは限らないうえ、ひとつの集落で数人しか入学できない時代だった。今では学校教育もかなり進んでいる。

七〇年代のパプアニューギニアの高地はまるで石器時代を想像させられる習慣や風習が残っていてそこここで垣間見られた。便利な斧や鍬《くわ》、鋤《すき》などを使って作業をしていたが、ごく近年まで石斧文化だったようで、家々には石斧などの道具がたまに残っていた。丁寧に石を研ぎ持ち手の木と石の間は細い蔓《つる》できめ細かく編んで留めてある。派手な飾りはなくても大切に使ってきたことが伝わる道具だ。また、弓矢も同様で、元々、野生には小動物の他には野豚しかいないが、それでもトカゲや野鳥などを獲るために矢尻に異なった工夫を凝らす。トカゲ用の矢の先は平らな台形だが、鳥用の矢は尖っている。小さな彫り物を施して男性たちもおしゃれを楽しんでいるようだった。女性たちは木の皮を細く割いて撚り紐状にして袋などを作る。手を動かし続けながら家族と団欒し、あるいは近所の仲間とおしゃべりをする。子どもたちは大人の作業を真似て遊びに取り入れ、年齢差に従って教えたり教えられたりして過ごす。

人びとは一見、裸に見える姿でもおしゃれにはかなり工夫を凝らしている。腰ミノは部族によって形も素材も異なるけれど、密林の奥にしかない植物を採って石などで叩いて柔らかくして干し、ウエストの辺りを編みこんで作り上げる。草なら何でも良いわけではない。小さな貝殻や野豚の牙などを組み合わせた首飾り、耳飾りや鼻飾り、男性は自作のウィッグ（冠）に付ける飾りも手が込んでいる。特に祭りには顔に化粧を施し男性たちは老いも若きもウィッグに鳥の羽根や奇数の蝶、ドライフラワーなどを競うように飾り立てる。とりわけニューギニア島に生息する美しい極楽鳥の姿を模して競いあう。鳥は雄が派手だ。そのせいかここでも男性が昔から派手に飾り立てる。踊り方も極楽鳥に似ているような気がして、人びとが自然界と一体となっていることが伝わってきた。

おしゃれな彼らは珍しい物をあれこれと取り入れて楽しむ。たとえば、魚の缶詰ラベルを剝がして大事そうに飾る人、ボロボロになったゴム靴でも得意そうに履く人、安全ピンを耳飾りにした人……と、その多様さに目を見張る。ふと、わが身の周辺や日本の近代史を振り返ると西洋に熱をあげて「散切り頭を叩いてみれば文明開化の音がする」といった状況も随所にあった。気が付かないうちに私たちもまた、ニューギニアの人びとの得意満面な姿と似たように、現代においても欧米先進国のモノを取り入れている。人びとの文化や暮らし振りが劇的に変化しているちょうど過渡期に私は山から山へ、村々を訪ねていたことになる。

飛行機が飛び始めて、オーストラリア人が初めてニューギニア高地を眼下に見た。そこには誰も住んでいないと思われていたが、開墾され山間には畑や家々があった。その後、彼らは二〇〇〇m以上の山岳地への探検を試みて初めて高地民族と接触した。低地や海岸地域のパプア人たちは高地に人が住んでいることを知っていたし、交易など多少の交流もあったようだがそうした情報はニューギニア島内から外部へは伝わることはなかったようだ。文明人に「発見」されたことで高地民の存在が世界に知らされ、それから三五年ほど過ぎて私も訪ねることになったのだった。

高地だから太陽の出ないときは肌寒い。草葺きの家には囲炉裏が掘ってあり、夜は火を囲んで団欒をし、朝食は囲炉裏の熾火でサツマイモを焼いて食べる。夕食は明るい内から準備する石蒸し料理が多い。焚火で石を熱し、タロイモや野菜、木の実などをバナナの葉に包み土をかけて蒸す。油や砂糖などを使わない素材そのものの風味が口のなかで広がる。初めは物足りなさを感じたが、やがて、この味こそが昔から長らく続いた大地の恵みの味なのだなと馴染んでいった。こうしてどの村へ行っても家族の憩いのなかに私を迎え入れてくれる懐の深さは有難かった。

ある村で囲炉裏を囲んで火に温まりながら長老を交えて団欒していた。すると突然のように「日本という部族はどこにあるのかね?」と長老から聞かれた。彼らは部族単位で考えるから、日本部族を知りたかったのだろう。山を幾つも越えて……と地理的な場所、衣食住や文化などの話をして夜の更けるのも忘れたこともある。人びとの好奇心は強く、私への関心の高さも私の彼らへの興味の抱き方(取材)と同じくらいなのだろう。あるいはそれ以上かもしれない。知りたい、取材したいと思って人びとと付き合っているのだが、決して一方的ではなく、むしろ私の方が何倍も取材されているのかもしれないと思った。

高地では山の頂上や中腹を切り開いて作った村々にはどこも細い道があって村人が行き交う。熱帯の密林だからそうした道の両側は鬱蒼としている。ひとりでぶらぶらと細い道を歩いていると、ここがニューギニア高地なのか日本のどこかの田舎なのか……とたびたび錯覚した。それはどこかに祖霊が漂っているような気配を感じることが多々あったからだ。祖霊文化は日本にもあり違和感はない。パプア人の祖霊崇拝の日常に接すると、次第に私のなかに眠っていた意識が芽生えて、人びとの精霊や霊魂を重んじるアニミズム信仰についていつの間にか考えずにはいられなくなっていった。
キリスト教が徐々に浸透し、今ではパプアニューギニアの主な宗教はキリスト教となってい
る。けれど、一九七〇年初頭にはまだまだ太古から人びとが守ってきたアニミズム（精霊崇拝、
霊魂信仰）が目に見える形で強く残っていた。たとえば、人が死ぬと風葬を行いミイラ化させ
る部族もいたし、頭蓋骨に色を付けて祖霊に守ってもらうと真剣に考えていた部族もいた。け
れど、次に訪れたときはその頭蓋骨の風葬は取り払われていた。その家の主人に尋ねると「キ
リスト教の宣教師が来て、不潔だから土のなかに埋めろと言われた。抵抗感はあったけれど、
仕方なくしばらくしてから埋めたのです」と、うなだれて話した。
日本でもむろんアニミズム的なものは残っているから、大木や大岩や珍しい形の石や岩など
に神がいる……、霊が宿っている……と長年、信じられてきた。アイヌの人たちも深い霊性を
持ち続けている。近代化のなかでその影が薄らいでいったが、近年、アニミズムの尊さに気づ
いて蘇らせようとする動きも大きくなっている。彼らの試みは生命の誕生と同時に霊は地球上
に存在し、人間や生き物はみなひとつの大地に生きているということの深い意味合いを私たち
に気づかせてくれる。
キリスト教ばかりか近代化による経済活動によっても世界の多くのさまざまな民族と同じよ
うに、ニューギニアの村々の人びとの生活様式も変貌していった。村ではどこでも年配者が大

事にされ力も保持してきたが、学校教育を受けた若者が町で働いてお金を稼いで帰省すると、若者に村人の注目が集まり、次第に寂しい老人が増えていく。村で生きるに欠かせない知恵や技などは年配者の方がずっと豊かだが、お金の力には及ばないらしい。人びとが文化の変容の狭間に置かれて混乱に陥る様子に随所で直面しながら、日本国内に目を転じれば、決して他人ごとではないことを強く意識せざるを得なかった。

半世紀前、私が写真家の道を歩み出して間もない頃に、ニューギニアの人たちから自然界と一体になって生きてこそわかり得る生命の尊さや、森羅万象の奥深さを教わったことは貴重なことだった。それでも、コロナ禍に見舞われて私たちはウイルスを改めて強く意識するようになり、何億年も前から地球に存在してきた自然界の奥深さを衝きつけられる。同時に人間も自然界の一部だと強く思い知らされている。

ニューギニアと言えば「秘境」「野蛮」などとさげすんできた私たち「文明人」が果たして彼らよりも人間としても高度なのか。果たして自然を尊んでいるのか。今そうした自然界からしっぺ返しを受けているではないかと考えさせられながら、部屋の壁を飾っている仮面、首飾りや櫛《くし》などをじっと見つめる。次第に当地で会った一人ひとりの顔や姿が重なり、霊までも感じられるような気がしてくる。都会人ではあるけれど私の心の底には、極楽鳥の島の人たちの木霊が響きわたり、歪んだこの日常のなかで一滴の清涼剤のようにも感じられてくる。

パプアニューギニア、高地の村

## ニューギニア② メラネシアン・アートの人びと

新型コロナウイルスに見舞われた私たちの社会がここまで深刻な状況になるとは想像もできなかった。こうした状況にあってメラネシアン・アートの真髄に流れる意味を改めて考えさせられている。アニミズムは古代から人間に備わっている精霊崇拝であるから、私たちの内側にも確実に存在しているものだろう。たとえば作家の石牟礼道子さんもその考えを持ち続けながらさまざまな作品を書き上げたと私は思っている。古くからの神話や民話などの伝説は日本にも多く、霊魂が自然界のすべてに宿っていることを端的に表現してきた民族は古今東西に数多といる。ニューギニア島の人びともそれらのなかのひとつだ。

若い時代の私の胸をドキドキさせたメラネシアン・アートを創る人びとに会いたい一心で、思い切ってニューギニア島を訪ねた。一九七一年からの旅は都合で西側には行かれずに東側のパプアニューギニアだけだったけれど、私はかなりエキサイトした。とはいえ、取材は難航を極めたが、それも含めて当地の人びとを知る（理解する）には欠かせない思い出深い歳月だった。

高地の人たちとは違ってメラネシアン・アートの人たちが住んでいる地域は低地のセピック河の流域である。この河はビスマーク海に流れ込む全長一一二〇㎞、川幅は広い所では二～三〇〇m、雨季になると一〇倍にも広がり、随所に大小さまざまな湖が生まれる。その川沿いに暮らす人びとがアニミズムを源にした絵や彫刻などを創り続けてきた。それらの作品は住居の柱や階段の手摺など至る所で目にするが、とりわけ「精霊の塔（スピリット・ハウス）」の飾りは素晴らしい。村によってハウスの大きさや形は異なるが、どの村でも昔は大きかったらしい。災害で壊れてしまい再建のゆとりがなく、小さいものしか残っていないと住民に説明を受けた。

アートは村々でそれぞれ少しずつ異なっているがアニミズム信仰が伝わってくるものばかりだ。色彩は粘土、墨、灰など自然の色しか使わない。粘土の赤茶色や黄色の濃淡、墨、木灰の白でしかないけれど、ヴァリエーションを駆使して豊富な色彩の複雑なデザインの絵にできあがっている。各地域の一流の作家たちが描いたのだろう。

どこの「精霊の塔」にも人びとの精神的な「霊性」が込められている。塔のように高くそびえるものから住居の家と変わらないものもあるけれど、日本で言えば神社のような存在だろうから神聖な場所だ。なかには神様＝ワニ祖霊が祀られている。神様のワニ（鰐）を総称して「ワンジマウト」と人びとは呼んでいる。実際にワニの頭を安置してある。「スピリット・ハウス」を直訳すると「精霊の家」となるのが一般的だが、その形状と見た感じの印象で、私は人びとへの敬意をも込めて勝手に「塔」と訳している。この精霊の塔のなかで大事な会議が行われたり、日頃の雑談の場所にもなったりしているようだけれど、いずれにしてもなかには入社儀礼（イニシエーション）を済ませた成員男性のほかは立ち入ることはできない。

神様のようにワニを信仰しているということは、男女ともに自分たちの祖先はワニだと信じていることからくる。トーテム（祖霊）をワニに持つ人ばかりか他の動物をトーテムとする人たちでも、みなワニの霊魂やエネルギー、力強さに憧れている。自分もワニと同じようになりたいということから、ワニになるための苦行を経なければならない。しかも、女性や子どもを守るのは男性だという考えが根っこにはある一方、伝説ではワニの力を女性には与えたくないということも垣間見られる。その理由のひとつは村人とりわけ女性を守るのは勇敢な男性だからだと言う。そのために男性は心身を鍛えなければならない。村の繁栄も存続も彼らに委ねられているからワニに先祖返りをする入社儀礼によって、ワニが備えた力を受け継いで強靭な人間になる必要があると村人は信じている。そうだからといって男尊女卑かと言えば違うようだ。「女性の知恵は日々の暮らしに欠かせないから大事」と青年たちは力説した。たぶん、役割分担ということかもしれない。

ワニの化身になった男性の肌にはたしかにワニ柄が彫られている。これを男女ともみんなが「美しい、逞しい」と言って崇める。この入社儀礼を受けられるのは成人男性が多いが親が望めば少年も受けることができるらしい。祖霊であるワニが自分たちを守るのだと信じているか

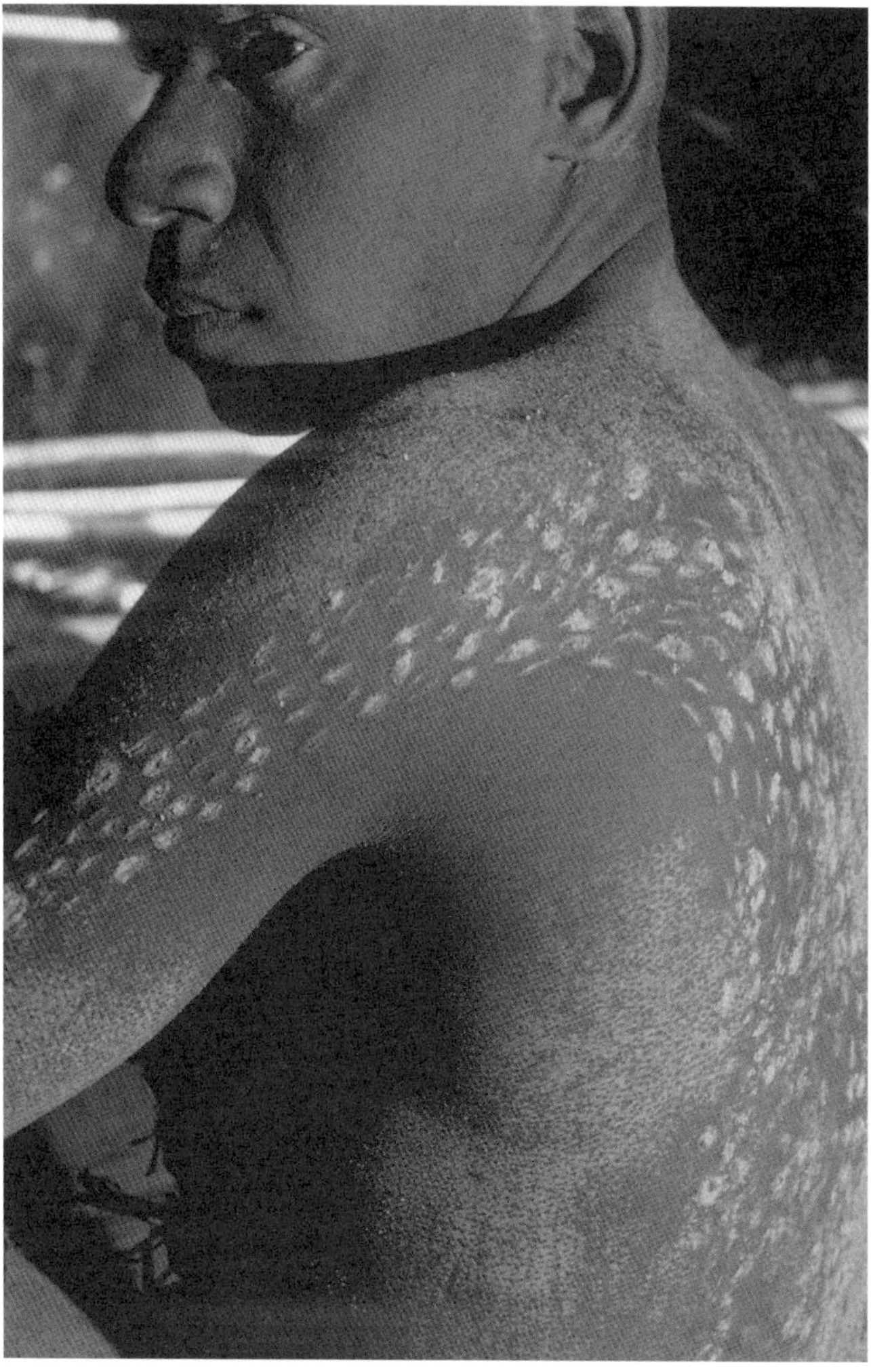

ニューギニア、ワニに先祖返りしたばかりの男性

ら、家族のためにも村のためにも、男性たちはこの儀式を真剣にかつ大切に考えている。女性はこの儀式を見ることさえも禁じられているので、取材をしたい私も「精霊の塔（スピリット・ハウス）」に足を踏み入れることも拒否された。ましてや、入社儀礼の儀式への同席と取材は全く相手にされなかった。それでも撮影したいとの思いは強く、日々、交渉を重ねた。村はひとりの村長制ではなく集団指導制のため、ひとりでも反対があると成立しない。何度も繰り返された会議で私については毎回、拒否された。その都度、次回を待つしかなく、何日もひたすら待った。ワニに先祖返りした男性の肌を撮影するのでも良いではないかと通訳もしびれを切らせる。

けれど、あのメラネシアン・アートの原点はこの儀式にあると私は考えていたから引き下がれない。許可が出るまで待とうと決心した。アニミズム信仰の極限のひとつの形がワニに先祖返りする儀式であり、それは全身にワニ柄を彫り鏤《ちりば》めることだ。その場を取材しないでできあがったものだけで済ますことは私には納得できない。すでに過去の遺物になっているのならばむろん仕方がないが、現に他の村では一〇日ほど前に儀式が行われたばかりだ。残念ながらそれには間に合わなかったので、今ここで待つしかないと思って粘った。

待つ間は村々を回って人びとの暮らしぶりを撮影したり話を聞いたりして過ごした。時には遠い村までエンジン付きのボートで出かけて取材を重ねながら人びととの出会いを楽しんだ。

パプアニューギニアのメラネシアン・アート、「精霊の塔」内部

たとえば、ある村の庭先では粘土をこねて素焼きの器や壺を作っている人たちに会った。素朴な作り方は縄文時代を彷彿とさせる。また別の村では主食のサゴヤシを伐採して澱粉を取る作業や、魚採りにも同行するなど人びとの暮らしの様子のさまざまをカメラに収めていった。子どもたちは木の欠片で小さなお面を作っていて、そのひとりが「これ、ボクだよ」と首からネックレスのように下げて微笑んだ。木で作ったお面や彫像は多くの男性が軒下や木陰で上手に彫っている。女性はカラフルな網袋を編み、お喋りに花を咲かせながら過ごす。

ようやく待った甲斐があって許可が下りた。私は念願の入社儀礼を撮影できることになった。リーダー格の男性たちが村を回って女性や子どもたちに外に出ないようにと大声で触れ回る。その「精霊の塔（スピリット・ハウス）」に私もいよいよ招かれた。ワニに先祖返りすることを望んだふたりの青年が緊張した表情で腰かけていた。やがて彼らは台に俯せて身を硬くしながら待った。やがて大小の太鼓や笛の音楽が奏でられ始めた。「手術」を施す先輩格の男性たちがカミソリを手に各人の傍についた。どの人も風格があり、威厳の表情にあふれている。村内で会ったときの様子とはかなり違う。

「私のときには竹ナイフだったから痛くて気が遠くなったね。失神する人もいたさ。最近はカミソリになったからましになったよ」と説明してくれる。あれだけ、私を拒否していたのだからさぞかし怖い男性たちなのだろうと身構えていたが、実に優しく丁寧に説明を続ける。いよいよ、カミソリが背中の皮膚に当てられた。皮膚の同じ個所を四回ほど切る。「傷口を広げるためだよ」との声のなか、青年たちは顔をしかめ、痛みに耐えようと歯を食いしばる。奏でられていた音楽の音響がさらに大きくなっていく。青年たちのうめき声が村人に聞こえないようにするためだ。茶褐色の肌の背中が真っ赤に染まる。いかにも痛そうだ。ワニ柄のような彫りを一面に数百か所も施していく。「ここにはワニの目の柄、こっちはお腹、背中の肩の辺りはこの辺に、そして臍《へそ》も……」とワニの全身を描くように彫る。その間ずっと音楽が響き続く。

手術が終わった後は傷口に黄色い粘土を擦りこむ。「これがまた痛いんだよ」と先輩たちは思い出話をする。「土と言っても特別な土で、やたらにはないものだ。河沿いの小さな湖があるだろう、あの辺りから採ったものだ。殺菌作用もある。しかも、これのおかげで傷がきれいに盛り上がってワニの柄のようになるんだ。ほら、あの男性の背中を見てごらん。見事だろう」

後で調べると抗生物質のような働きもある粘土らしい。背中から腕などに柄が彫り終わると樹液を塗布してさらに傷口が腐らないようにする。「虫に刺されるのを防ぐんだ」と、男性たちはあれこれと教えてくれた。

朝から昼下がりまで続いたワニに先祖返りする入社儀礼だったが、私にはとても短く感じられた。これでメラネシアン・アートの真髄をほんの僅かながらも垣間見ることができた。ワニになることでアニミズム信仰が人びとの内側にどっしりと腰を据えたのであろうことをこの目で確認することができた。学生時代の私をドキドキさせたメラネシアン・アートはこうして生まれていったのだと感慨に浸った。その興奮は今もまだ残っている。

この痛みを克服できた人だけが強い成人になることができると同時に、女性たちからも憧れの的になるから男性たちは気強く耐える。男性の神秘的な勇敢さが女性や子どもたちへの愛情になり、疫病や災害から村を守る力であると信じられてきた。この背中の傷はかなり深いから、癒えるまでには少なくても一か月はかかる。その間は働かないで村人の目を避けるために別の「男の家」で治療に専念しなければならない。時間がかかる。しかも、パプアニューギニアは一九七五年に独立し、それ以降は村々から男子は学校へ、青年は町へと向かう人数が増えて、儀礼を受けるゆとりがなくなってきた。そこに文明人の価値観で「野蛮」と決めつけられ、儀礼は激減へと向かった。セピック河の村々を最後に訪ねたのは一九七八〜九年の頃だったからこの儀礼は消えかけていた時期だったかもしれない。貴重な場面に私は立ち会えたことになる。

長老のひとりは「数年前まではどの村でも儀礼は行われていた。ワニの精霊を受けた男性たちこそが村を守り発展させるためには欠かせないんだが」と眉をひそめた。文化の変容という勢いには多勢に無勢なのかもしれない。それでも女性や子どもたちにとってもワニの存在は大きく、神話、民話などに織り込まれた伝説は人びとのなかにたしかに根づき息づいていた。そうした精神文化はいくら文明開化の波に洗われても簡単には消えそうにはない……そうあって欲しいと私は願っている。

昼間の灼熱の太陽が傾くのを待ち構えるように、人びとは河辺の大木の下などに集ってお喋りタイムを過ごす。その輪に入って話を聞くのが私の楽しみでもあった。人びとの間には数え切れないほどの伝説があるようだ。先祖がワニの氏（クラン）にとっては当然だろうが、ワシの祖霊「ガウイ」という氏（クラン）も、そのほかのどれもがそれぞれ別の何かを祖霊として崇めている。蚊を先祖とする氏（クラン）もある。「蚊」と聞いたとき私は咄嗟に大きく頷きの声を上げてしまった。ともかく蚊の多さにはほとほと閉口したし、村人も悩まされているからだ。マラリアやデング熱など蚊がもたらす病気も少なくない。雨季には全身が黒くなるほど蚊がたかる。蚊よけの薬を素肌に塗るけれど、汗が流れ落ちた筋のような個所に必ず止まって刺す。撮影で動けないときには髪の毛のなかにまで分け入って頭皮をやられる。村人も私もつい掻くから皮膚がはがれ、そこに蝿が止まると間違いなく膿んでいく。

蚊の種類は多く、大きいものからごく小さいものなどさまざまだ。小さい蚊は蚊帳の網も身体をよじらせるようにして入り込んでくるので安眠の妨害にもなる。こうした攻勢にあっても何の対処法もないので怒るわけにもいかず、私は取材ノートに押し花ではなく「押し蚊」をしてテープで留めた。なすすべもないからほんの気晴らしにすぎないのだけれど。

木の枝葉でさかんに蚊を追い払いながら、人びとはみな夢中になって話に加わる。ワニの肌を自らに再現してしまう人たちだからワニにまつわる話は至る所にある。そのひとつ、自分の祖先は「ワインバングー」という名前のワニだという話をしてくれたのは同じ名前のワインバングーさんという風格のある知的なお年寄りだった。

彼が話してくれた先祖の物語はこうだ。


「私の父のそのまた父……の時代のことだった。急に黒い雲に覆われ激しい風雨が続き、河の水量が急速に上がって濁流が家々も木々も押し流した。一五の村が水に浸かって大勢の村人が死んだんだ。そのなかで男の赤ん坊を抱いた母親が必死に泳いで助けを求めていた。ところがそこへ、大きなワニであるマンダングーと呼ばれる大きなワニが現れて母子を食べてしまった。そのとき食べ残した母親の頭蓋骨を我が家ではずっと大切に今でも持っている」

そう話した後、彼は自宅の隅へと私を案内して「証拠を見せてあげよう」と布や木の皮で三重に包んだ丸いものを取り出すと、なかからこげ茶色の石のようなものが現れた。よく見るとかなりの年数が経った人間の頭蓋骨だ。後頭部はなく顔の部分だけだ。「これがご先祖さまだ」

と低く重々しい声で言った。その額から四〇cmくらいの紐が結わいつけてある。「結び目は一五ある。あの洪水で流された村の数だ」と私の眼を覗き込みながら付け加えた。

マンダングーの話はまだ続きがある。別の村人が話してくれたのはこうだ。

「母子を殺してしまったことを知ったマンダングーの父親は嘆いてこう言った。『お前が勝手に呪文を唱えたから罪のない母子を殺し大勢を不幸にしてしまった。お前は大嫌いだ』。それを聞いたマンダングーは泣きながらセピック河の河底深くに姿を消した」

村の人たちは老いも若きもこの話を信じている様子だった。夕日が美しく風も爽やかな日に一緒にいた子どもたちは大人からビトルナッツをもらい河に投げ込んだ。

「こんな静かな日でもマンダングーが悪事を働かないようにと願うんだ」

「マンダングーが呪文を唱えると、瞬く間に雲ゆきが怪しくなり大雨が降って洪水になってしまうからね。ビトルナッツでお祓いをするのさ」

似たような話は他にも幾つもあって、私は興味深く耳を傾けた。日本にも神話や民話などの伝説はいくらでもあり子どもの頃から少しは親しんでいる。幼き日の私も親から話してもらったことを懐かしく感じながら子どもたちと並んでセピック河の流れを見つめる日々だった。こうしてあっと言う間に三か月ほどが過ぎた。茶褐色の肌色の人びとに私の肌もかなり近づき、とても日本人には見えないと言われて嬉しく思えるほど、一介の訪問者にすぎないが私はすっかり村人たちになじんでいた。

取材ノートを見返したり、かつて出版した写真集のページを捲ったりしながら、若かりし頃のあの逞しさはわが身のどこから湧いてきたのだろう……。今やコロナ禍で身動きばかりか思考も停滞気味のこの歪んだ日常が疎ましいと思いつつも、ウイルスや細菌に侵されて人命が奪われていった歴史がニューギニアでも繰り返されてきたのだろうとの思いを深くする。それが、あの「精霊の塔（スピリット・ハウス）」に象徴されているし、伝説にもなって人びとの記憶から記憶へと繋がっているのかもしれない。人間は自然界の一部であり、生きとし生けるもののすべてに魂があり霊があると彼の地の人たちは信じている。近代化の波に押し流されそうになるものの何百年、何千年と守り培ってきた信仰や精神文化はそうたやすくは消されないと人びとは私に訴えている。メラネシアン・アートの素晴らしさにかつて私の胸がときめいた人びとの心の文化の原点はこれだったのかと取材しながら何度も反芻した。

パプア人の原点にもなっているだろうアニミズムの思想の一端にアートを通して触れることができて、人生の宝ものをいただいた思いだ。人間ばかりか生きとし生けるもののすべてに精霊や霊魂などがあって、自然界と共存していることの大切さをパプアの人びとから教えられた体験は貴重なものだ。彼の地の人びとが表面的に生活スタイルを変えても、たとえ変えざるを得なくなっても、心のなかに根付く精神文化は次世代から更なる次世代へと脈々と受け継がれていくだろうと今も思っている。

四〇年以上も経った今も変わらずに彼の地への思いが続いているのは、壁に掛けたメラネシアン・アートの作品によるものだろう。それらのパワーに突き動かされて、私は戦禍の地へと向かうことができた。人間の根源的な魂のあり方を暴力で無残にも叩き潰された人びとの嘆きや苦悩と向き合い、伝えていかなければという思いに突き動かされてカメラを抱えて進むことができたのも、翻って考えて見れば七〇年代に足しげく通ったパプアの人びとに教えられた魂との出会いがあったからであり、メラネシアン・アートが今も私に語り続けパワーを与え続けてくれているおかげだろうと思っている。

セピック河

# あとがき　戦場ウクライナ考

　コロナ禍によって、ひたすら走り続けてきた私の人生をじっくり振り返る、思わぬ追憶の日々が訪れた。この機会を有効に使って過ごす時間が貴重に思えた。本棚のあちらこちらに溜まっている取材ノートを読み返し、折々に出版した拙著を捲りながらその当時のあの場所に、あの人たちの言葉に、あの瞳に………引き戻されて胸が詰まり手も止まったまま、しばしの時を過ごすことが少なくなかった。あの少女はどうしているかな……もう成人してお母さんになったかな………、あの少年は進学できたろうか、軍に入隊したのだろうか……、夫を失ったあの女性たちは平穏な暮らしを取り戻せたろうか……いえ、難民になってしまっただろうか……。大勢の顔が走馬灯のように浮かぶ。

　ほぼ半世紀にわたる写真家活動のなかで訪れたのは戦禍に見舞われた地が多かったこともあって、人間の尊厳や人権が一瞬に蔑ろにされていくことをまざまざと思い知らされ、いったい人間とは何なのかという問いを衝きつけられる思いだった。そうした私の思いの奥にはニューギニアの人たちから教えられたことや考えさせられたことが礎《いしずえ》としてどっかりと座っている。ニューギニア探訪をもう少し続けたかったものの、一九七九年にカンボジア問題が勃発し、私は八〇年一月にカンボジアとタイの国境へ行った。その時の衝撃によって、ニューギニアへ向かう時間も体力も資金も削ぎ落とさざるを得なくなった。それから年に一～三回はカンボジアへ通い始めた。ニューギニアで考えさせられた人間とは何かとはまた別の、正と負の人間性への根源的な問いを衝きつけられたからだった。

日本文化人類学会の会員にもなってその観点からの写真をさらに続けたいと思っていた。一九七五年から通った隠岐《おき》諸島（島根県）や、その後に訪ね始めた黒川能《くろかわのう》の里（山形県）などを始め、内外に訪ねたい場所が幾つもある。けれど、世界では戦禍が広がっていた。ベトナム、カンボジア、ラオス、アフガニスタン、コソボ、南スーダン……、あちらこちらで人びとに会ううちに、とうとう当初の目的や関心から大幅にずれてしまい、最近、学会を退会した。日本にもあった戦争が、彼の地で目の前で苦しむ人びとに重なる。もう何十年も前に終わったと思いつつも、体験した人たちに会うと、「昨日のことのように覚えている」と多くの人たちが私に語った。当時は子どもであっても厳しく残酷な思いが心に喰い込んで、決して過去にはならない。今のうちに記録しておかなければ。写真家として私なりの悔いを残さないためにも……。一九七二年から沖縄に通い始め、また広島、長崎、東京などで、あの惨事を潜り抜けた一人ひとりに会ってきた。

新しき　あさのひかりのさしそむる　荒野にひびけ　長崎の鐘

これは二発目の原爆を投下された長崎で被爆した永井隆博士の言葉だ。博士は一九五一（昭和二六）年に四三歳で亡くなるまでの六年間に、病床にありながら一七冊ほどの著作を執筆した。その一冊目が原爆投下から間もない時期に執筆した『長崎の鐘』だ。博士の没後七〇年を記念して、和英文を併記した新装版の出版が企画され、『長崎の鐘　the Bells of Nagasaki』（長崎如己の会）が二〇二二年に出版された。原爆の実相と博士の言葉「平和を」という精神を再び広く伝えたいとの思いからだと強く感じる。

ちょうど同じ年の二月、ヨーロッパは戦場となった。ロシア軍がウクライナ全土に一方的に軍事侵攻し「平和を」は無惨に踏みにじられた。砲撃や空爆で首都キーウや郊外のブチャ、第二の都市ハルキウなどが激しく攻撃され、騒然となる様子が映像や紙面で毎日のように伝えられる。アゾフ海に面した都市マリウポリはほぼ全壊し、大勢の住民が犠牲になったと伝えられる。これらの状況はまるで原爆投下直後の広島、長崎さながらだ。今、この同じ時代の惨状とは実に信じがたい現実だ。チェルノブイリ（現チョルノービリ）原発を掌握したプーチン大統領は「ロシアは核大国だ」と繰り返して発言し、「外部からの邪魔を試みようとする者は誰であれ、そうすれば歴史上で類を見ないほど大きな結果に直面するだろう」との演説を行った。頬を硬直させ、異様な目つきだ。怒り、恨み、怯え……、あるいは大きな力に操られているのか……、はたまた巨大なロシア帝国ないしは広大な旧ソ連邦に戻したいとでもいうのか……、彼に対する不気味な憶測は尽きない。

「二一世紀のヒトラー」ならば歴史の逆戻りだ。さすがに今のロシア人は黙ってはいない。国内の厳しい情報統制のなかSNSで人びとが勇気をふるい、「戦争反対」の声を上げデモに参加した。けれど無惨にも力で鎮圧された。世界中では反戦運動の輪が拡大しつつあるのだが。

モスクワに米国の「マクドナルド」が開店した一九九〇年、私は数時間も待つほど長蛇の列を作る人びとの、しかし嬉しそうな沢山の顔を目の前にしながら歴史の転換点を強く感じた。今や八五〇店がロシア国内で展開していたが、ウクライナへの無謀な戦争に抗議してそのすべてを閉じた。市民の自由と民主化の波は定着しつつあったのだが。欧米や日本は経済制裁でロシアの武力に対抗しているが、その効果が表れる頃にはウクライナでさらなる大勢の犠牲者が生まれ、また一般のロシア人にも締め付けが及んで弱者から困窮していくだろう。

プーチン大統領はウクライナ人を「ハエ（蠅）」とあからさまに侮辱した。「口に入ったハエを吐き出し」「ハエ一匹も」などとかなり激しい。「プーチンの戦争」の実態を知ったら、多くのロシア人は恥ずかしく思うだろう。だが、悲しいかな、私たちが報道で得るような実態を大半のロシア国民は知らない。戦時中の日本も似た状況にあった。大本営発表こそが正しい。それ以外を信じる者は非国民だと決めつけられた歴史がある。今のロシアはその当時と同じということか。

破壊で変貌したウクライナに言葉を失うばかりだ。かつて私が歩いたキーウの街並みや近郊、地方も、訪ねた人びとが暮らしていた住宅が次々とロケット弾で破壊されている。病院も攻撃されて、瓦礫と炎のなかで医師たちが必死に怪我人を助けている。映像に写ったドクターにはかつて取材をお願いしていたような気がする。胸が詰まって直視できない。激しさを増す戦況に気が気ではない。地下壕に避難した住民の被害はどうだろうか……、まだ部屋に居残っていて建物ごと犠牲になったのではないだろうか……。難民は国内外を併せて一〇〇〇万人以上（国民の四人に一人）と言われるが無事に戦火を逃れただろうか（ただ一八〜六〇歳のウクライナ人男性は出国できない）。

ウクライナ東部にロシア軍が侵攻し、ルハンシク（ルガンスク）とドネツィク（ドネツク）を独立させたが、プーチン大統領は「ウクライナ全土には侵攻しない」と明言していた。しかし二月二四日、ウクライナ全土へ侵攻した。その後、負傷して捕虜となったロシア兵たちのなかには「戦争はしないと聞いていた」「演習だと聞かされて来た」との証言が多数ある。プーチン大統領は世界ばかりか自国民にも嘘をついて騙したことになる。兵士たちの言葉を聞きながら思い出したのが旧ソ連時代の一九七九年から一〇年間、アフガニスタンへ侵攻して「シンドローム」の状態になった兵士たちだ。徴兵された彼らは軍事訓練もそこそこに戦場に送り込まれた。大勢が戦死し負傷し、大勢が精神的な病に冒された。「隣人を助けるためだと言われた」と、どの地で会ったどの帰還兵も暗く沈んだ眼を向けて、重い口調で私に語ったことを今さらながら思い出す。こうした甚大な傷に終止符を打って、二〇世紀の戦争の悪夢に幕が閉じられた、はずだった。

連日の「プーチンの戦争」関連の報道を目にしながら、映画『ヒトラー～最期の12日間』（二〇〇四年公開）が重なった。「戦争」は「宣争」でもあるが、それにしても破壊しつくされた住宅街の光景は、今、同じ地上で、同じ空気を吸い、一つの太陽の元にある私たちが目にしているものとは信じがたい。まるで地獄だ。一般住民や子どもたちに対する蛮行の目撃も次々に明るみになっているが、そのロシア兵も平時には当たり前の青年であり紳士だったのだろう。戦争は人間性を変質させてしまう。一〇〇年前も、今も。

ロシアではSNSでこの事態を知った大勢の人びとが反戦デモに参加した。しかし、一万人以上もが逮捕され、やがて情報が遮断された。この状況に重なるのがミャンマーだ。ミャンマーも二〇二一年二月の軍事クーデター後からデモが各地で起こり、やはりSNSで世界に拡散された。そのなかに私が会った人もいるかもしれないと思いながら目を凝らした。逮捕者も後を絶たない。銃撃されて大勢が命を落とした。国内は戦場と化した。上座部仏教（小乗仏教）徒の多いミャンマーの人たちは日に何回も瞑想し、仏様に祈って平和と安寧を願う。合掌していた女性が、「私にはこうして祈るしか道がないのです。怒りの気持ちも不安も悲しみも、祈ることでわが身を抑えているようなものです」とかつて私に涙をためた目で静かに話したことを想い出す。あの女性はどうしているだろうか。

ミャンマーにもウクライナにも友人や知人が多く、一人ひとりのことが気になって毎日が落ち着かない。映像が流れ新聞が届くたびに、知り合いを探してしまう。写し出されている人の嘆きや涙はこれまで取材させてもらった世界の各地や国内の大勢の一人ひとりに繋がる。とりわけ子どもの涙に。

ヨーロッパで最大級のザポリージャ原発もロシア軍に攻撃されて黒煙が上がっている映像が届いた。チョルノービリ（チェルノブイリ）原発の爆発事故よりも一〇倍の放射能被害に及ぶと言われ、緊張した（三月四日）。それ以前に攻撃を受けたチョルノービリ原発には一九九〇年以来、周辺地域も含めて私は何度か訪れているので、作業員や住民の人たちが心配でならない。多くの被曝者も訪ねた。とりわけ一九八六年四月に生まれたエフゲニアさんはキーフに避難し、時々、訪ねていたが今のところ彼女との連絡はとれていない。そういう人が何人もいるので気が気ではない。被曝に苦しめられたうえ、今度は戦火に見舞われてしまったウクライナの人びとの苦悩はいかばかりだろうか。

とりわけ犠牲になるのは常に子どもや女性、弱い立場にある人びとだ。胸が締め付けられそうになり、仕事が手につかない。


今の時代、紛争は武力ではなく対話や外交でこそ解決に向かうことが世界の約束ではなかったのか（日本国憲法の前文にもあるように）。二〇世紀、私たちは多大な代償を払って満州侵略や第二次大戦（太平洋戦争）、その後のアメリカ軍による二〇年間ものベトナム戦争（インドシナ戦争）や、旧ソ連のアフガニスタン戦争などを悔い、学び、深く考えることで「進歩」した今日ではなかったのか。永井隆博士が身をもって切に訴える「平和を」という言葉こそが人間としての願いである。ウクライナの無辜《むこ》の人びとに重く圧し掛かっている、この理不尽なロシアによる「プーチンの戦争」を一日も早く、一刻も早く終わらさなければならない。長引けば内外の権力者らはこの戦争を政治的に利用しかねない。それればかりか軍需産業を擁する勢力に拍車がかかる。世界に再び深刻な分断の時代が訪れないだろうか。

何としても早く攻撃が終わってほしいと願うなかで、人の気配のなくなったキーウが映し出された。その様子はウイルスのパンデミックでロックダウンされたヨーロッパの都市と情景は似ている。けれど、けれどその内情は異なる。これが戦争の実態なのだ。

先日、ウクライナの人びとを支援するコンサートが催された。同国出身のカテリーナが演奏する民族楽器バンドゥーラの柔らかく力強い音色に、小さな会場ではあったけれど人びとの目にも（私の目にも）涙が滲んだ。彼女の母親は難民となりポーランド経由でようやく日本に辿り着いたと二人は話した。「平和を」を胸に掲げての一日も早い終結を祈るように願うばかりだ。

コロナ禍になって、まるで時間が止まったような、不思議な感覚に見舞われているなかで、目の前で現実に起こったロシアのウクライナへの戦争。じっとしていて良いのか？　すぐにでも私は飛んで行きたい。その思いを抑えながら、わが来し方を振り返っている。自分に残された時間はこれまでのようにはないのだと改めて思いつつ……。若い人たちに後を頼みたい願いも湧きあがってくる。

悶々としながらの執筆作業のなかで、岩本栄さんや藤原聡さんら何人もの友人に励まされてきました。集英社インターナショナルの岩瀬朗さん、近藤邦雄さんにお世話になりました。みなさまありがとうございました。

二〇二二年　ツバメが渡ってきた四月　大石芳野

**大石芳野**《おおいしよしの》

写真家。日本大学芸術学部写真学科卒業。元東京工芸大学芸術学部教授（現在は客員教授）。戦争、内乱後の市民に目を向けたドキュメンタリー作品を多く手がけ、ベトナム戦争、カンボジアの虐殺、スーダンのダルフールの難民、広島、長崎の被爆者への取材を続ける。またニューギニアなど世界各地の人びとの暮らしに寄り添う視線からの写真作品にも定評がある。著書に『小さな草に』（朝日新聞社）、『沖縄 若夏の記憶』（岩波書店）、写真集に『長崎の痕』『戦争は終わっても終わらない』（共に藤原書店）、『戦禍の記憶』（クレヴィス）など。

# わたしの心《こころ》のレンズ 現場《げんば》の記憶《きおく》を紡《つむ》ぐ

インターナショナル新書一〇一

二〇二二年六月一二日 第一刷発行

著者 大石芳野《おおいしよしの》
発行者 岩瀬 朗
発行所 株式会社 集英社インターナショナル
〒一〇一‐〇〇六四 東京都千代田区神田猿楽町一‐五‐一八
電話 〇三‐五二一一‐二六三〇
発売所 株式会社 集英社
〒一〇一‐八〇五〇 東京都千代田区一ッ橋二‐五‐一〇
電話 〇三‐三二三〇‐六〇八〇（読者係）
〇三‐三二三〇‐六三九三（販売部）書店専用
装幀 アルビレオ
印刷所 大日本印刷株式会社
製本所 大日本印刷株式会社

 ISBN978-4-7976-8101-7 C0295

# インターナショナル新書

100
## リベラルアーツ
「遊び」を極めて賢者になる
浦久俊彦

リベラルアーツの本質は「人生を遊びつづけるためのわざ」。その極意を江戸の暮らしなどから学び、具体的に仕事や教育にどう活かすか、古今東西の名著を引きながら論じる。画期的なリベラルアーツ本。

102
## 戦国ラン
手柄は足にあり
黒澤はゆま

戦国時代を生きた人々は、とにかく歩き、そして走った。戦いの道を歴史小説家が実際に走り、武将たちの苦難を追体験。現場を足で辿ることで、文献史料を読むだけでは分からない、武将と合戦の実像が見えてくる!?

103
## スキを突く経営
面白家電のサンコーはなぜウケるのか
山光博康

秋葉原発のアイデアグッズメーカーが家電業界に参入、ユニークな商品を次々にヒットさせ破竹の快進撃を遂げている。その創業者が斬新な商品開発の裏側を大公開。混迷の時代を生き抜く独自の経営理念とは!?

104
## シャーロック・ホームズのすべて
ロジャー・ジョンスン
ジーン・アプトン
日暮雅通＝訳

一九世紀後半に登場して以来、探偵の代名詞として常に最高の人気を保ち続けるホームズ。フィクションのキャラクターという枠を超えて、世界中の人々を魅了し、影響を与える名探偵に関するトリビアを網羅。